Le cas Eduard Einstein

Du même auteur

ROMANS
La légende des fils, Flammarion, 2011 ; J'ai lu, 2013
Les derniers jours de Stefan Zweig, Flammarion, 2010 ; J'ai lu, 2012
  (Prix Baie des Anges)
La consultation, JC Lattès, 2005 ; Pocket, 2009
La folle histoire, JC Lattès, 2003 ; J'ai lu, 2012 (Prix Littré)
Les mauvaises pensées, JC Lattès, 1999 ; Pocket, 2001 (Prix Wiso)

BIOGRAPHIE
Albert Einstein, Gallimard Folio Biographies, 2008

THÉÂTRE
Les derniers jours de Stefan Zweig, Flammarion, 2012

Laurent
SEKSIK

Le cas
Eduard Einstein

ROMAN

À Didier V.
À Yves S.
À Gérard D.

BURGHÖLZLI – ALEXANDERPLATZ

1

La lourde porte se ferme dans un grincement. Le bâtiment semble plus imposant, vu du dehors, son toit détaché dans le ciel de novembre. Elle est prise de vertige. Elle craint de s'évanouir. Elle se remémore la méthode conseillée par son médecin lorsqu'une telle sensation l'envahit. Se concentrer sur un point au-devant, respirer profondément. Elle croit en la médecine. Même si ce matin sa confiance est mise à mal. Est-ce la science qui opère au-delà de ces murs ? On dirait plutôt que le diable a pris possession de l'âme de son fils.

L'infirmier qui l'a raccompagnée sur le perron a patiemment écouté son récit. Elle a, une nouvelle fois, rapporté les événements qui l'ont conduite en ce lieu. Elle n'a omis aucun détail. Tout semblait important et pouvait être utile. L'infirmier lui a parlé avec bienveillance. « N'ayez aucun regret, madame Einstein. Vous avez eu raison de venir ici. Le bien de nos proches nécessite parfois d'aller à l'encontre de leur volonté. Et puis, gardez espoir. Nous sommes en 1930. La science accomplit des progrès fulgurants. Ce n'est pas à vous, chère madame, que je l'apprendrai. Ne soyez pas inquiète, nous veillons. Au revoir, madame Einstein. »

À l'instant où la porte se fermait, elle a interposé son pied. L'homme a jeté un regard noir. Il a demandé d'un ton sec de ne pas rendre les choses plus difficiles. Elle a obtempéré.

Maintenant elle se retrouve seule, face à l'édifice. Elle devrait sans doute se résigner à quitter la place. Elle en a assez entendu et elle en a trop vu. Elle ne parvient pas à faire un pas. Elle regarde autour d'elle en quête d'une de ses semblables. Une autre femme, impatiente de savoir comment se porte son fils, quand elle pourrait le voir. Mais personne n'attend devant le bâtiment. Ça ne doit pas être l'heure.

Jusqu'alors, elle n'avait pas pleuré. Elle n'était pas encline à la tristesse. Seule la peur occupait ses pensées, une frayeur immense, une terreur de mère. Désormais le désespoir a remplacé la crainte. Elle sanglote tout bas. Les heures qu'elle vient de vivre charrient toutes ses larmes. Elle revoit les visages livides et tordus de souffrance. Elle entend les cris de révolte et d'angoisse. Le destin a parlé. Son existence a basculé. La vie l'a prise en haine et lui a dérobé ce qui faisait sa joie.

Elle se rend soudain compte qu'elle doit aviser le médecin de quelque chose d'essentiel. Elle appuie sur la sonnette. Pourquoi n'y a-t-elle pas songé plus tôt ? Eduard a besoin de douze heures de sommeil. Quelles que soient les circonstances. Le médecin doit savoir. La question est vitale. À la maison, elle prépare les tisanes, prodigue les mots de réconfort. Elle est la sentinelle de la nuit. Ici, les médecins lui ont refusé le droit de dormir auprès de son fils. Un matelas à même le sol aurait fait l'affaire. Cet enfant a besoin de sa mère. Son frère Hans-Albert a un caractère différent, indépendant et fort. Eduard est si fragile. Il est resté le petit garçon qu'elle promenait jadis, sur les rives de la Limmat. Le mouvement de la poussette le berçait. Il souriait aux anges. Son visage n'a pas vraiment changé. Sinon cette impression d'étrangeté qui s'affiche désormais au coin des lèvres. Et ses grands yeux clairs toujours perdus dans le vide.

Elle aurait consenti à une simple couverture jetée par terre. L'essentiel était qu'Eduard sente sa présence. Un rien peut le briser. La moindre remarque est vue comme une offense. Elle seule console du désespoir et délivre du mal. Rien de ce qui le concerne n'a de secrets pour elle. Hélas, depuis quelques semaines, elle ne parvient plus à maîtriser le feu de la colère.

Quelqu'un l'a entendue, voilà, la porte s'ouvre. Un homme à la blouse bleue un peu froissée se poste devant elle.

« J'ai quelque chose d'important à dire au docteur Minkel.

— Le docteur est en consultation.

— Je lui ai parlé il y a quelques instants.

— Croyez-vous qu'il flâne dans les jardins du Burghölzli ? Je vous dis qu'il consulte !

— Pourriez-vous lui laisser un message ? C'est pour mon fils, Eduard Einstein, chambre 109.

— Je sais.

— Vous… savez ?

— Le fils d'Einstein est dans nos murs. La nouvelle a déjà dû faire le tour de Zurich. Les gens sont mauvaises langues.

— Mon fils n'a rien fait de répréhensible.

— On voit le mal partout.

— Eduard souffre, c'est tout !

— De nos jours, certaines souffrances ont mauvaise réputation.

— Que voulez-vous dire ?

— Vous aurez tout le temps de comprendre. Allez, racontez-moi ce que vous avez de si capital à apprendre au docteur Minkel. »

Elle explique la nécessité de douze heures de sommeil, souligne l'importance de la chose. L'homme écoute, acquiesce, promet qu'il transmettra, tend la main, salue et referme la porte.

Elle contemple face à elle les toits de Zurich, le lac en contrebas, le sommet enneigé des montagnes au loin. D'ordinaire ce spectacle l'envoûte. Aujourd'hui le ciel est gris, porteur d'orage. Un voile de brouillard recouvre la ville. L'église qui jouxte la maison pointe son clocher dans la brume. L'endroit si familier lui semble inaccessible.

Elle est transie de froid. Elle ne sent plus ses doigts. Elle emprunte la rue qui descend vers la ville. Une fine couche de neige recouvre le pavé. Elle manque de trébucher à chaque pas. Elle en regretterait l'ambulance qui l'a conduite à l'aller. Elle se promet de ne pas se retourner. Elle se parjure tous les dix pas. Son regard vient se perdre au milieu des innombrables fenêtres du Burghölzli. L'édifice semble occuper toute la colline, écraser l'horizon. Le lieu est censé donner asile aux âmes en détresse. Elle se remémore les cris des voix désolées, les affreux rires en cascade. Elle revoit son fils parmi les silhouettes maigres, figées ou balançant sur place. Ces hommes ont tout oublié de la douceur de vivre. Plus rien ne les atteint, ni injonctions ni coups. Un mépris sauvage se peint sur leur visage. Cette haine n'est rien en regard des peurs qui meurtrissent leur cœur comme un papier qu'on froisse.

Elle aurait préféré prendre la place d'Eduard. Elle, la prisonnière, et lui, un homme libre. Lui dévalant la route et elle qu'on enferme. Il courrait à en perdre haleine. Tout au bas de la rue, il ne songerait déjà plus au mal qui a frappé sa mère. Il apercevrait le lac au loin, aurait envie de flâner sur la rive. Il songerait à sa mère, serait triste un instant. Une fille lui sourirait, il oublierait sa peine. Il rencontrerait un ami qui lui proposerait de faire un tour sur son voilier. Il partirait naviguer. Il s'étourdirait sous le vent.

Le sort en a décidé autrement. Il faut que ce soit elle à l'air libre, et Eduard qu'on enferme.

Le chemin du retour lui paraît terriblement long. Ses sabots en bois compensé censés corriger sa boiterie ravivent sa douleur à la hanche. « Laissez le pied se faire à la semelle, a expliqué le cordonnier. Un jour vous gambaderez. » Elle ignore ce que gambader signifie. Depuis l'enfance, le simple fait de marcher constitue une épreuve. Ses amies prenaient des leçons de danse, étudiaient des chorégraphies, parlaient mousselines, tarlatanes et tutus. Elle, sa hanche malade l'empêchait de courir. Les moqueries, les surnoms pleuvaient. Elle était la boiteuse, l'éclopée, la sorcière. Une anecdote de ses vingt ans lui revient à l'esprit. Un camarade d'Einstein, surpris que le jeune homme puisse s'intéresser à elle, lui fit remarquer son infirmité. Albert répondit : « Je ne vois pas ce dont tu parles. Mileva a une voix si charmante. » Un jour, des années plus tard, Einstein a recouvré la vue.

Elle boite. Dans son esprit, elle rampe. Elle a rampé sur les trottoirs de Prague, sur les boulevards de Berlin, toujours dans l'ombre de son mari. À Zurich, depuis qu'elle vit seule, ce sentiment a fini par passer. Il resurgit aujourd'hui.

Elle reconnaît, au carrefour, le visage de Rudzica. Rudzica était sa voisine à la pension Engelbrecht, trente ans auparavant, à la fin du siècle passé. Après ses études, Rudzica s'était installée à Genève. Ses cheveux sont maintenant coupés court, ils ont perdu de leur blondeur. Mais Rudzica a gardé intacte son allure, ce qui faisait sa grâce. Elle porte une robe ravissante. Son visage irradie de joie. Pense-t-elle à ses enfants ou bien à son mari, rêve-t-elle du dîner auquel elle est conviée ? Ou bien, tout simplement, marche-t-elle insouciante et sans songer à rien ?

La pension Engelbrecht était située au numéro 50 de la Plattenstrasse. Rudzica et deux autres jeunes filles occupaient la grande pièce du troisième étage quand elle logeait, seule, dans une petite chambre sous le toit. Monter les escaliers lui coûtait. Mais les soirées passées en compagnie des trois filles faisaient oublier son mal.

Elle avait remarqué à un je-ne-sais-quoi dans le regard de ses amies qu'on l'entendait toujours venir, trahie par le bruit de sa démarche. Elle avait décidé de se déchausser au bas de l'escalier, gravissait les marches pieds nus puis se rechaussait. Un jour, Rudzica l'avait surprise, ses chaussures à la main. Leurs regards s'étaient croisés. Rudzica avait toujours gardé le silence.

Tant de temps a passé depuis cette année 1899. Elle peine à croire que ce long défilé de semaines et de mois aura été sa vie.

Rudzica se retourne. L'a-t-elle reconnue ? Elle a tellement vieilli. Elle ne veut pas parler à son amie d'antan. Elle ne veut rien dévoiler de son drame. Elle ne veut pas entendre Rudzica faire le récit de sa vie. Je me suis mariée, tu sais, avec cet étudiant de quatrième année qui nous tournait autour. Nous vivons à Genève avec nos trois enfants. Et toi, que deviens-tu ? J'ai appris ton divorce. Je revois encore Albert venir à la pension, jouer du violon, monter jusqu'à ta chambre. Qui aurait pu croire que nous avions affaire au grand génie du siècle ? Et c'est toi qu'il a choisie, ma petite Mileva. Tu sais, les hommes changent. Gloire ou pas, ils sont tous pareils. As-tu refait ta vie ? Es-tu heureuse au moins ?

Elle redoute la rencontre. Elle voudrait se cacher le visage. Se fondre dans le paysage. Que Rudzica ne voie pas la robe enfilée en vitesse en partant cette nuit. Cette robe est fripée, elle l'a achetée chez Bernitz. Vous faites une affaire, avait dit la vendeuse. Les deux pour le prix d'une. Deux robes presque identiques, à carreaux bleus ou verts, remontant jusqu'au cou, tombant au-dessous des genoux. Rudzica semble vêtue d'une robe de tulle.

Tout plutôt que d'entendre son amie raviver le temps de la pension Engelbrecht. Te souviens-tu des batailles de coussins ? Et cette nuit ou Héléna avait ramené une bouteille de vodka ! Jamais aucune d'entre nous n'avait goûté d'alcool. Nous détestions le goût et nous nous sommes forcées à finir la bouteille. Et lorsque Mme Bark est entrée, ses cris de colère résonnent encore à mes oreilles. Privées de sortie pendant un mois. C'était la belle époque !

Elle songe à courir vers Rudzica. Elle voudrait se jeter dans ses bras et se blottir contre elle, pleurer sur son épaule, confier ce qu'elle a vu. Rudzica, quel miracle de te croiser ici ! Je reviens d'un endroit dont tu n'as pas idée. C'est le royaume des âmes perdues. Non, je ne suis pas folle. J'ai vu de mes yeux ce qu'était la folie. Ce lieu de perdition est juste devant toi, regarde, en haut de la colline, l'immense bâtisse. C'est l'endroit dont je parle. Où l'on enferme et où l'on frappe. Dans notre bonne ville, près de là où nous allions jouer. Et veux-tu savoir ce que je faisais en ce lieu maudit ? J'allais conduire mon fils.

Un autocar descend la rue et tourne devant elle. Le véhicule masque un instant la silhouette de son amie. Lorsque le bus a dépassé le carrefour, Rudzica n'est plus visible. La rue est à nouveau déserte.

Elle se sent épuisée. Elle aimerait bien s'asseoir. Elle a besoin de forces pour rentrer chez elle. Elle ne voit nulle part où se reposer, elle n'a personne vers qui se tourner.

Les gens qui me connaissent vous diront que je suis fou. N'en croyez rien. Le propre des fous est d'ignorer qui ils sont. Je suis le fils d'Einstein. J'imagine le doute dans votre esprit. Le fils d'Einstein ? ! C'est inscrit sur mon passeport. Ein Stein, en un mot. Eduard de son prénom, né à Zurich, le 28 juillet 1910. Menez votre enquête. Je suis de notoriété publique.

Ma mère prétend que je suis le portrait craché de mon père. Elle évoque une lueur d'intelligence dans le regard. Si je possédais un brin de malice, cela se saurait. Ou ai-je perdu cette qualité en grandissant ? Depuis peu, certaines de mes facultés m'échappent. N'est-ce pas la raison de votre présence ici ? Ou êtes-vous là seulement pour entendre parler de mon père et salir sa mémoire ?

Quant à la question de mon identité, il est bon de préciser, en ce début troublé des années trente, que, contrairement à ce que mon patronyme laisse entendre, je ne suis pas juif. Qu'on le dise haut et fort, Eduard Einstein est chrétien orthodoxe, baptisé le 4 juin 1912 dans la bonne ville de Novi Sad, en Serbie ! Je dispose de tous les documents nécessaires.

Les tourments que j'inflige à ma mère remontent au jour de ma naissance. Maman me l'a souvent répété, l'accouchement fut un vrai calvaire. Les adultes parlent à tort et à travers sans imaginer la portée de leurs actes. À entendre maman, il aurait été préférable que je ne vienne pas au monde. Que serais-je devenu ?

La délivrance fut, paraît-il, une terrible épreuve. Le bassin de ma mère était trop étroit pour la grosseur de mon crâne. Les hanches sont le point faible de la famille Maric. On boite de génération en génération. La hanche se luxe dans l'enfance. Ensuite, on marche sur la tête. La malédiction frappe un grand nombre de Serbes de la région de Novi Sad. J'ai échappé à cette infirmité. Je mesure ma chance.

Ma mère boite depuis toujours. Gamine, on se moquait d'elle. Vous connaissez les enfants. On prétend qu'ils sont plus cruels que les adultes. Mais ce sont les adultes qui parlent ainsi.

Lorsqu'on me demande ce qui m'amène dans ce lieu, à vingt ans, je retourne la question. Pensez-vous que je sois capable d'avoir battu ma mère ? Je suis un garçon calme, taciturne de nature et bien incapable de lever la main sur quiconque, a fortiori sur celle qui m'a mis au monde dans d'horribles circonstances. Maman prend soin de moi, seule, depuis tant d'années, il faudrait être ingrat. Pourtant, si ma mère l'affirme, je ne la contredirai pas. J'ai perdu récemment la maîtrise de mes gestes. Dans un instant d'égare-

ment, ma main a peut-être giflé son doux visage ?
Je demande pardon dans ce cas regrettable.

Suis-je bien le genre de la maison ? Ici, on me
traite comme un demeuré. Je suis tout sauf
inculte. J'ai lu dans ma jeunesse toute la bibliothèque de mon père. J'ai avalé Schopenhauer et
Kant, Nietzsche et Platon. J'ai dévoré Thomas
Mann. À six ans, je lisais Shakespeare. Vous avez
peine à me croire ? « Un haut degré d'ambition
change des gens raisonnables en fous qui dérai-
sonnent. » Qui a dit ça ? Kant l'a dit.

Et par-dessus tout, j'ai lu Freud. Tout Freud.
Malgré les apparences, je suis en première année
de médecine. La faculté de Zurich est une des
meilleures d'Europe. Je reste dans ma chambre
à étudier, des semaines entières sans mettre le
nez dehors. Mon père me recommande de
prendre l'air. C'est commode pour lui. Moi, j'ai
besoin de beaucoup travailler. Je ne suis pas
Einstein.

Et savez-vous vers quelle spécialité je compte
m'orienter ? Vous êtes sur la voie. Je rêve d'être
psychiatre ! Finalement, je crois avoir pris le
meilleur raccourci : je suis entré à la clinique par
la grande porte.

Je sais que Jung était assistant à votre place.
Ou était-ce la mienne ? Nous échangerons plus
tard. Ces temps-ci, ma pensée n'est plus en
conformité. Mes actes se dérobent à ma volonté.
Dans mon cerveau éclosent toutes sortes de
choses. On dirait que je mue. À vingt ans ! La
nuit, je ne dors pas. Le jour est pire encore.
Lorsque j'ouvre les yeux, les objets se déplacent,
prennent de drôles de formes. Plus rien n'est

solide, rien ne possède d'angle. Des visages grimaçants se fondent sur le mur. On frappe à la porte, et quand j'ouvre : personne ! Il y a aussi ces voix qui murmurent à mon oreille des paroles que maman n'entend pas. Je me demande si elle ne devient pas sourde avec l'âge.

J'ai d'autres éléments à signaler, de petits riens sans importance.

La semaine dernière, j'ai vu un chat pénétrer dans ma chambre, affirmer que j'étais beau. Maman m'a certifié le contraire.

Le surlendemain, une femme sans tête s'est glissée dans mon lit, a plongé sous les draps en tenant des propos scabreux et avalé mon sexe dans son bas-ventre. C'est une sensation que je ne souhaite à personne.

Début septembre, une foule gigantesque s'est massée sous ma fenêtre en agitant des fourches sur lesquelles était plantée la tête de mon père.

Dans la nuit du 12, j'ai avalé un essaim d'abeilles, du miel m'en est sorti par les oreilles.

Par bonheur, finalement, les voix se sont apaisées. Les foules se sont tues. Les abeilles ont migré. Les intrus sont allés frapper à d'autres portes que la mienne. Le chat n'est pas revenu. Prévenez-moi si vous le croisez. Un gros chat au pelage blanc, qui vous parle avec un air doux.

Je vais vous poser une question, vous qui croyez tout savoir. Supposons que, me trouvant devant la fenêtre d'un wagon d'un train en marche, je laisse tomber une pierre. Les lieux que parcourt la pierre sont-ils situés sur une droite ou suivent-ils une parabole ?... Vous faites moins le malin !

Je suis ici depuis plusieurs heures et nul, à part ma mère et vous, n'est encore venu me voir. Le règlement interdit-il les visites ? A-t-on songé à prévenir mes proches ? Ma mère a peut-être quelques raisons de ne pas rester auprès de moi. Je n'ai pas été aimable avec elle et cela constitue peut-être une des causes de ma présence ici. Mais mon père pourrait faire le déplacement. Berlin n'est pas à l'autre bout du monde. Je vous communiquerai son numéro de téléphone quand les nombres ne s'emmêleront plus dans mon esprit. Envoyez donc un télégramme. Albert Einstein, 5, Haberlandstrasse, Berlin.

Peut-être ne me croyez-vous toujours pas ? Peut-être que de nombreuses personnes se présentent en ce lieu en affirmant être le fils d'Einstein. Je ne leur jetterai pas la pierre. Porter un illustre patronyme peut être considéré comme une chance. On croit que la gloire rejaillira sur soi. On se trompe lourdement. Le nom d'Einstein est une charge pour le commun des mortels. Une seule personne possède les épaules assez solides pour supporter un tel fardeau : mon père. Ni mon frère ni moi n'avons la stature. Voilà la cause de mes tracas si c'est ce que vous cherchez.

Quand d'autres prétendants au titre de fils d'Einstein se présenteront ici, je veux bien leur parler. Je révélerai le prix à payer. Je montrerai la facture. Plus jamais ils ne se targueront de se nommer ainsi. Quant à ceux qui se prennent pour Napoléon, débrouillez-vous sans moi.

Tout à fait entre nous, je porterais volontiers le nom de ma mère. Je n'en serais sans doute pas là. Hélas, il n'est pas facile de remonter le temps. Mon père a déjà étudié la question. Je ne marcherai pas sur ses plates-bandes.

Allez, je vous donne la réponse sur le problème de la pierre et du wagon. Je vois la pierre tomber de façon rectiligne. Le piéton observe une parabole. Il n'y a pas de vérité en soi. Votre réalité n'est pas la mienne. Prenez-en de la graine.

Après tout, qui me dit que vous êtes docteur ? L'endroit doit attirer les affabulateurs. J'apprendrai pourquoi vous êtes ici. On ne choisit pas une telle profession par hasard. Quelqu'un doit vous clocher dans la tête.

Ah, je peux vous révéler autre chose. J'écris. Des poèmes. Innombrables. Inspiré de ma passion pour Heine, Kleist et Victor Hugo. Ma mère les conserve tous. Mon père rechigne à les lire. Je vous récite le dernier que j'ai écrit.

Chant de la maladie mentale

Dieu le Père et le Fils !
Aujourd'hui le psychiatre
Cette fonction

Le mal-être du corps
Tu cherches à surmonter
Mais la psyché d'elle-même
Un jour s'en va sombrer
Alors, ne réfléchissant pas plus longtemps
Car c'est une douleur trop grande,
Tu te précipites dans le pays des rêves
Ou tu tires directement ton cœur.

Si vous n'appréciez pas, gardez-le pour vous.

Laissez-moi vous parler d'un autre membre de la famille. Pas mon frère Hans Albert sur lequel aucun mystère ne plane et qui prétend avoir réussi dans la vie en dépit des risques encourus. Non, c'est une personnalité plus secrète qui vit dans la clandestinité et que j'abrite en quelque sorte. Une fille, je n'ai pas honte de le dire, parce que vous avez l'air compatissant pour quelqu'un d'intelligent. Cette jeune femme a des problèmes d'élocution et se met à parler par ma bouche. Elle me mène par le bout du nez. Elle me fait taire, tient des propos que ma morale réprouve. Ses pensées sont malsaines. Elle m'ordonne d'aller dans la chambre de ma mère pour revêtir des robes. Elle préfère celle à carreaux verts que je trouve plutôt triste. Un jour, ma mère m'a surpris dans cet accoutrement. Aussitôt que maman a paru, la femme en moi a disparu. N'y a-t-il pas de place pour un tempérament féminin en présence de ma mère ? Vous donnerez votre avis de professionnel. Maman ne m'a pas grondé, ni n'a émis un quelconque reproche sur le fait que les volants n'étaient plus à la mode en 1930. Ces temps-ci, rien ne semble l'étonner. Elle montre des égards. Elle ne m'accable plus de reproches. Elle a compris que les réprimandes n'étaient pas une solution dans mon cas. Elle a simplement posé une question qui continue de m'intriguer : elle m'a demandé si je savais quelque chose. Je lui ai répondu « rien ». Ce qui est la stricte vérité. Elle avait l'air soulagée. Elle m'a expliqué que de telles pratiques n'étaient pas très convenables pour un garçon de mon âge. Je suis d'accord. Je voulais savoir si elle ne trouvait pas que la robe bleue irait mieux. Je me suis abstenu. Vous voyez que je sais me tenir. J'espère cependant que nous ferons toute la lumière sur cet épisode. J'ai besoin d'y voir clair. Je n'aime pas vivre avec une jeune femme sur la conscience.

Voilà un dernier gage concernant mes origines :

Je suis né un 23 juillet, au matin, à Zurich sur la Moussontrasse. C'est à deux pas d'ici, trente minutes de marche. La nature est bien faite. J'aurais détesté naître au milieu de l'hiver lorsque la neige tombe et que le ciel est bas. Les gens comme moi ont besoin de beaucoup de lumière. Nous sommes un peu semblables aux plantes.

Le mois de ma naissance, la comète de Halley a traversé le ciel. Les photos ont été prises par un certain M. Wolf. J'en ai vu des reproductions dans un magazine dont j'ai oublié le nom – on ne peut pas se souvenir de tout, sinon c'est l'embolie cérébrale. La comète de Halley passe sous nos yeux tous les soixante-seize ans, vous pouvez vérifier. Mark Twain, qui était né en 1835, l'année d'un précédent passage, est mort peu après le passage suivant de la comète – « périapside » dirait mon père. Parlant de la comète et de sa propre personne, Mark Twain a écrit ces lignes peu avant de mourir : « *Voyez donc ces deux monstres inexplicables ; ils sont venus ensemble, ils doivent repartir ensemble.* » Mark Twain s'exprime ainsi et c'est Eduard Einstein qu'on séquestre !

La comète de Halley sera à nouveau visible en 1986. Je ne serai plus de ce monde. Je l'apercevrai de là-haut, plus près d'elle que jamais. Je crois aux forces de l'esprit.

Je n'ai pas vu mon père le jour de ma naissance. Aux yeux d'un physicien de renom, l'apparition de la comète de Halley est un événement autrement plus marquant que la venue d'un braillard dans la ville de Zurich. Comment rivaliser avec un astre ? Je m'emploie à résoudre cette question. Je suis né à Zurich, j'ai vécu à Zurich, je mourrai à Zurich. Je tourne dans la ville sans trop m'éloigner, comme lié par une force invisible. Je serai la comète de Zurich.

2

L'Alexanderplatz est grise et sale sous le froid de novembre. Il marche sur le trottoir, emmitouflé dans son manteau, son chapeau noir sur la tête. Au carrefour, il lui faut enjamber des flaques d'eau croupie. Il cherche du regard un taxi. Il n'aime pas arpenter les rues de Berlin au crépuscule.

Une heure auparavant, au sortir de son rendez-vous à l'Institut Kaiser-Wilhelm, il a réussi à trouver une voiture. L'auto a été bloquée près du Reichstag par une manifestation des membres du Rote Frontkämpferbund. Il a dû descendre et s'est retrouvé à quelques mètres de manifestants déployant leur drapeau rouge, avançant en ordre de marche. Il a poursuivi jusqu'à Tiergarten. Au loin, il a vu une armée de chemises brunes, fonçant en direction des manifestants aux cris de *Sieg Heil !* Il a accéléré sa course. Des nuées de jeunes gens couraient en sens inverse, semblant pressés d'en découdre. La manifestation de la veille avait compté trois morts dans les rangs communistes, tous atteints d'un stylet planté dans les poumons. Les SA vengeaient ainsi la mort de leur héros, Horst Wessel.

Berlin est devenu un coupe-gorge. L'année 1930 s'achève encore plus terriblement qu'elle n'a débuté.

Au coin une femme assise en tailleur, un bébé posé entre les jambes, tend la main, l'apostrophe. Il tire de sa poche un billet de cent marks. La femme remercie.

Au rond-point, sur une affiche, Hitler pointe un doigt menaçant : « Le Führer redonnera son honneur à l'Allemagne ! » Une réunion est annoncée pour le samedi suivant. La salle est interdite aux juifs et aux chiens. Aux dernières élections, les nazis ont recueilli 6 millions de voix.

L'avant-veille, un camion sur la plate-forme arrière duquel se tenaient une dizaine de SA l'a dépassé. L'un des SA l'a reconnu et a hurlé : « C'est Einstein ! Dis à Klaus de s'arrêter ! » Le camion a poursuivi sa route. L'autre a vociféré : « Sale youpin ! Je reviendrai te crever ! »

Goebbels le cite dans ses discours. Il serait le numéro un sur la liste de personnalités à abattre. Le professeur Lenard, prix Nobel 1905 et ennemi de longue date, l'attaque sans répit. L'homme des sciences de Hitler organise des conférences, publie des articles d'une violence inouïe. La relativité serait une science juive, indigne de la communauté allemande. La formule $E = mc^2$ aurait été inventée par Friedrich Hasenöhrl. Une découverte aryenne.

Les agissements de Lenard constituaient l'objet de sa rencontre avec Max Planck à l'Institut. Il était venu solliciter le soutien du patron des sciences allemandes. Il sait bénéficier de l'indéfectible amitié du vieux savant. Planck lui a ouvert les portes de l'université allemande, vingt ans auparavant. Planck l'a révélé au monde en faisant paraître son article sur la relativité en 1905 dans les *Annales de physique.*

Planck l'a écouté parler, a marqué un silence de réflexion puis a expliqué : « Cher Albert, je vous aide de mon mieux. Mais Lenard a de très nombreux appuis. Et puis, c'est lui aussi un Nobel de physique. Comment pourrais-je prendre parti ? Beaucoup me reprochent déjà votre seule présence au sein de l'Institut. Si je m'oppose à Lenard, on me taxera de partialité, on m'accusera de sympathie envers les juifs. On prétendra que je suis un ennemi du peuple allemand. La seule chose que je peux vous recommander, et c'est l'ami qui parle, c'est la prudence. N'allez plus défier ces hordes dans les amphithéâtres. Les temps ont changé, cher Albert. Les hommes comme moi sont d'une autre époque. Je ne devrais pas vous dire ça, mais..., à votre place, j'accepterais la proposition d'aller enseigner en Amérique. Là-bas, vous n'aurez plus à craindre pour votre sécurité. Vous pourrez travailler en toute sérénité. Laissez la politique à Lenard. Votre œuvre, Albert, n'est pas terminée, votre œuvre, c'est l'essentiel ! »

Il avait remercié le vieil homme et pris congé plus dépité encore qu'avant l'entretien. Puis il avait trouvé ce taxi à deux pas de l'Institut.

Il voit au loin l'immeuble du 5, Haberlandstrasse. Au septième étage, les lumières sont allumées. Il éprouve une forme de soulagement à rentrer chez lui. Il songe que Planck a peut-être raison. Il devrait accepter la proposition de travailler en Amérique. Il ne trouve ici nulle trace d'espérance. Le combat qui se joue semble perdu d'avance.

Elsa a déposé une tasse de thé sur la nappe de toile blanche incrustée de dentelles achetée à Hambourg. Son épouse tient à ces broderies plus encore qu'aux pièces de porcelaine ancienne dans la vitrine murale. Il raille parfois sa passion des vieilleries. Elle lui reproche le goût douteux de l'icône russe enchâssée d'argent massif trônant sur le guéridon. Et ce sabre oriental offert par l'empereur du Japon, que fait-il à côté de la reproduction des Tables de la Loi ? Sa place serait à la cave.

Lui qui déteste les marches militaires n'aime rien tant que se promener au Zeughaus, sur Unter den Linden, pour admirer les cuirasses de croisés, les casques sarrasins dans la vitrine des antiquaires. Elsa l'avait conduit à l'exposition Cassirer sur la Victoriastrasse pour admirer les sculptures de Brancusi. Il avait préféré revoir les pièces d'art égyptien de l'Alte Museum.

Buvant son thé, il écoute la TSF. Depuis quelques minutes, la radio diffuse une succession d'extraits des déclarations d'Hitler et de dirigeants nazis.

Nous n'avons aucune intention d'être des antisémites sentimentaux désireux de susciter des pogroms mais nos cœurs sont remplis d'une détermination inexorable d'attaquer le mal à sa base et de l'extirper de sa racine à ses branches. Pour atteindre notre but, tous les moyens seront justifiés, même si nous devons nous allier avec le diable...

Il plonge un sucre dans sa tasse, touille, boit une goutte trop brûlante à son goût, repose la tasse.

Le Juif en tant que ferment de décomposition n'est pas à envisager comme individu particulier bon ou méchant, il est la cause absolue de l'effondrement intérieur de toutes les races, dans lesquelles il pénètre en tant que parasite. Son action est déterminée par sa race. Autant je ne peux faire reproche à un bacille de tuberculose, à cause d'une action qui pour les hommes signifie la destruction, mais pour lui la vie ; autant suis-je cependant obligé et justifié, en vue de mon existence personnelle, de mener le combat contre la tuberculose par l'extermination de ses agents. Le Juif devient et devint au travers des milliers d'années en son action une tuberculose de race des peuples. Le combattre signifie l'éliminer...

Il croque un des petits gâteaux qu'Elsa a disposés sur la sous-tasse et qu'elle prépare elle-même. Tandis qu'elle passe près de lui, il lui répète qu'elle est une cuisinière hors pair.

De la haine, de la haine brûlante – c'est ce que nous voulons déverser dans les âmes de nos millions de compatriotes allemands, jusqu'à ce que s'embrase en Allemagne la flamme de colère qui nous vengera des corrupteurs de notre nation...

« Comment parviens-tu à écouter ces monstruosités ? » s'écrie Elsa.

Il ne veut pas inquiéter son épouse. Il explique que tout cela n'est que provisoire. Le chancelier Brüning redressera la situation. Le pays de Goethe n'a rien à redouter d'une clique d'incultes assoiffés de violence.

C'est la raison pour laquelle la résolution de la question juive est une question centrale pour les nationaux-socialistes. Cette question ne peut être résolue avec délicatesse ; face aux armes terrifiantes de nos ennemis, nous ne pouvons la résoudre que par la force brute. La seule façon de combattre est de combattre durement. Lord Fischer l'a dit, « si vous frappez, alors frappez dur ! Le seul combat sérieux est celui qui fait hurler votre ennemi.

« Je n'en dors plus, reprend Elsa. Ne veux-tu pas éteindre ? »

Il sollicite encore un instant.

Lorsque je serai réellement au pouvoir, ma toute première tâche consistera à annihiler les Juifs. Dès que j'aurai la possibilité de le faire, je ferai construire – à la Marienplatz de Munich par exemple – autant de rangées de potences que la circulation le permettra. Puis les Juifs seront pendus sans discrimination et ils resteront pendus jusqu'à ce qu'ils puent. Ils resteront pendus

tant que les principes d'hygiène le permettront.
Dès qu'on les aura détachés, ce sera au tour de
la prochaine fournée et ainsi de suite jusqu'à ce
que le dernier Juif de Munich ait été exterminé.
On agira séparément de même dans d'autres
villes jusqu'à ce que l'Allemagne ait été complè-
tement nettoyée des Juifs...

« Fais-le taire, s'écrie Elsa, ou c'est moi qui vais éteindre le poste ! »

Il n'y a ici aucune possibilité d'accommoda-
tion : le Juif et ses complices demeureront à
jamais des ennemis dans le cœur de notre
peuple. Nous savons que s'ils se saisissent des
commandes, nos têtes rouleront ; nous savons
aussi cependant que lorsque nous aurons le pou-
voir entre nos mains, que Dieu ait pitié de vous !

Elsa s'approche de la TSF et tourne le bouton.
« Tu écouteras cela quand tu seras tout seul ! »
Il se lève, se dirige vers sa chambre, s'assoit à son bureau. Il songe à ce qu'il vient d'entendre sur les ondes, aux discours de haine, au climat de terreur, à son nouveau statut de cible ambulante. Voilà dix ans, on élevait à Potsdam en son honneur la tour Einstein dont l'immense télescope était destiné à vérifier la validité de ses théories. La pureté des lignes de l'édifice le faisait considérer l'œuvre comme majeure de l'architecture expressionniste. Aujourd'hui, il risque son existence en sortant de chez lui.
La belle histoire entre les Einstein et l'Allemagne semble avoir vécu. En 1650, son aïeul

Baruch Moïse Ainstein avait quitté la région de Constance en Suisse pour s'établir à Buchau, dans le duché de Wurtemberg. Baruch Ainstein était marchand de tissus. À l'époque, les lois bannissaient les juifs de la plupart des professions. Un chapeau jaune leur était imposé quand ils quittaient leur village. Son ancêtre a porté la rouelle. Le siècle suivant, en 1835, sous le Deuxième Reich, dans les villes d'Allemagne, les foules défilaient au cri de « Yep ! Yep ! Crève juif ! ». Son grand-père Abraham avait survécu de justesse aux émeutes. La ville de Berlin était alors autorisée aux israélites par un seul accès, la porte Rosenthal au frontispice de laquelle était inscrit : « Ouverte aux juifs et au bétail ».

La sonnerie du téléphone retentit. Elsa est allée décrocher. Au ton de sa voix, il comprend aussitôt que Mileva est à l'autre bout du fil. À chacune de leurs conversations, la gorge d'Elsa se noue. Elsa balbutie. Elsa se sent coupable. Elle s'imagine responsable du malheur de Mileva, du naufrage de son premier mariage. La réalité est autre, plus triste et plus simple à la fois. Mais la seule vérité, n'est-ce pas le sentiment qui demeure ? Son couple était en perdition à l'heure où il partit de Zurich pour venir enseigner à Berlin. Mileva l'a rejoint. Elle a détesté la ville. Elle est retournée vivre en Suisse avec Hans-Albert et Eduard. Le temps et la distance ont fait le reste.

Elsa et Mileva n'ont rien en commun. Un étranger se demanderait comment le même homme a pu les prendre successivement pour épouse. Sa première femme est une Serbe orthodoxe, petite, mince et taciturne, sèche et affûtée, fière et rebelle. Sa seconde épouse est une juive allemande de Souabe, affable, ronde et douce, au tempérament effacé et jovial.

La voix d'Elsa résonne soudain plus fort depuis le salon.

« Comment ça, quelque chose de grave ?... Eduard ?... Un accident ?... Quoi d'autre alors ?... Comment cela, la tête ?... Mais il n'a que vingt ans... Il est toujours chez vous ?... Ils comptent le garder combien de temps ?... »

Il sort de sa chambre, et depuis le couloir, voit l'effroi sur le visage d'Elsa.

« Je vous le passe », souffle-t-elle en tendant le combiné d'une main tremblante.

Il lui semble avoir compris. Il dit bonjour, puis écoute Mileva faire le récit des événements. La voix est étouffée, le rythme haletant.

« Je vais tout répéter, Albert. Il faut que tu saches depuis le début... Je t'avais prévenu que, depuis quelques semaines déjà, Eduard n'était pas bien. Il restait enfermé dans sa chambre, sans sortir, avachi sur son lit. Il dormait le jour, il veillait la nuit. À quatre heures du matin, il était encore en train de tourner dans l'appartement, il tapait sur le piano. Et lorsque je tentais de le ramener à la raison, il me rabrouait. Son discours devenait de plus en plus confus, ses manières violentes. Il sortait sur le balcon, se mettait à hurler contre la terre entière. La police est venue, le commissaire Feurberg s'est déplacé en personne, il a parlé à Eduard. Quand il est reparti, Eduard est allé sur le balcon et a injurié la police. Avant-hier, mon amie Svetlana m'a rendu visite. Je lui ai servi à boire dans le salon. Je croyais que Eduard dormait. Il est apparu. Il l'a dévisagée comme s'il ne l'avait jamais vue. Puis il a porté son regard sur ses chaussures. Il est resté un long moment silencieux, l'air fixe. On aurait cru que ses yeux étaient aimantés par les ballerines. Après quoi, il est allé dans ma chambre. Il est revenu dix minutes plus tard. Il portait aux pieds mes chaussures, tu sais, les sabots aux semelles compensées, et au-dessus... au-dessus... il était nu ! Svetlana est partie, effarée ! Hier matin, sur le coup de onze heures, je rentre dans sa chambre. Les draps étaient couverts par ces horribles revues, tu sais, ces livres pornographiques qu'il s'est mis à acheter depuis quelque temps par dizaines et qu'avant il cachait dans les placards. Le grand portrait de Freud qu'il avait épinglé au-dessus de son lit était jeté, froissé, sur le tapis. La fenêtre était ouverte. Je suis allée au balcon. Je l'ai découvert, nu, par terre. Il avait les yeux grands ouverts. Quand il m'a aperçue, il s'est levé d'un bond. Il m'a sauté dessus, m'a prise à la gorge. Il hurlait "Qui es-tu ?... je veux voir ma vraie mère !" Il m'a renversée. Il m'a giflée. Alors M. Frözer, notre voisin de palier, est arrivé, tu sais, je lui laisse la clé, je te promets, je ne l'aurais pas appelé de moi-même, j'aurais pu raisonner Tete. Je sais comment le prendre. Je finis toujours par le calmer. Quand Tete a aperçu Frözer, il a desserré son étreinte et s'est précipité sur lui. Il l'a mis à terre. On aurait cru que ses forces étaient décuplées. Il l'a roué de coups. L'autre avait le visage en sang. C'est à ce moment que la police a débarqué, il a fallu trois gendarmes pour ceinturer Tete. Et puis... ils l'ont conduit au Burghölzli... Voilà, Albert, tu sais tout. »

Après un bref instant de réflexion, il annonce qu'il part aussitôt pour Zurich.

« Tu n'es pas obligé, tu sais. C'est peut-être une simple crise... Et quand tu arriveras, tout sera terminé. »

Ce n'est pas une simple crise. Il prendra le premier train. Il dit à demain et raccroche. Il croise le regard d'Elsa. Il ne parvient pas à prononcer un mot. Il se dirige vers sa chambre. Il tire de sous le lit une petite valise. Il ouvre l'armoire, choisit de quoi s'habiller pour quelques jours, glisse ses affaires dans la valise.

« Tu resteras longtemps ? »

Combien de jours à consacrer à un tel événement ? Une vie entière sans doute.

« Veux-tu que je t'accompagne ? »

Il affrontera seul la catastrophe. Ce drame est une affaire personnelle, quelque chose qui concerne le ressort le plus intime de sa vie. Le ressort est cassé.

« Ne sois pas pessimiste. »

Il voudrait lui confier son intuition – son esprit a toujours fonctionné ainsi. Son intuition lui a valu sa gloire et son Nobel plus encore que sa logique, ou la puissance supposée de son cerveau. Le pressentiment qui l'anime aujourd'hui est si funeste, ses lèvres ne parviennent pas à proférer une parole. Ce qu'il redoutait depuis des années, ses pires pressentiments se sont réalisés.

Il reprend le combiné, demande à l'opératrice le 13 400 à Berlin. Charlotte Juliusberg décroche,

le salue, s'inquiète de sa santé qu'elle sait fragile
– une attaque cardiaque l'a foudroyé après le
décès de sa mère et un ulcère, séquelle des privations de la guerre, lui fait souffrir le martyre.
Il la rassure. Il se sent comme guéri.

« Vous voulez parler à mon mari, j'imagine ? »

Juliusberg est le seul médecin en qui il ait
confiance. Juliusberg est un ami de longue date.
Il ne veut pas en appeler à Freud, pas plus qu'à
la dizaine de psychanalystes de sa connaissance.
Il ne croit pas en la psychanalyse. Il ne reconnaît
que les sciences exactes. Ou bien peut-être que,
pour des cas mineurs de ce qu'on nomme la
névrose, l'analyse présenterait-elle un certain
intérêt ? À l'évidence, ce dont souffre Eduard
n'est pas une névrose. Consulter à Vienne, au 19,
Berggasse, ne serait d'aucun secours.

À plusieurs reprises, par le passé, il a confié à
Juliusberg ses inquiétudes concernant Eduard.
Les crises dans l'enfance, l'étrangeté de son comportement. Juliusberg n'avait alors pas caché ses
craintes. Maintenant que les choses ont basculé
dans l'inconnu, il veut le diagnostic de son ami.

À l'autre bout du fil, Juliusberg l'écoute expo-
ser la situation, poser quelques questions. Après
quoi, le médecin explique :

« Albert, tu l'as compris, c'est très grave. Il est
difficile de mettre un nom sur la maladie à ce
stade. Nous serons fixés bientôt. La seule chose
qui s'avère positive c'est que le Burghölzli est le
bon endroit. Jung y consulte encore, et Minkel
est un élève de Bleuler. Eduard est entre de
bonnes mains. Le ramener à Berlin avec toi n'est
pas une bonne idée. Eduard a besoin de calme.

Un long voyage ne ferait qu'aggraver la situation. Et puis ton fils, en Allemagne, au vu de ce qui se passe, c'est impensable. Les patients sont très sensibles à l'environnement extérieur. Eduard interné à Berlin ? Tu peux songer à la une des journaux. Le fils d'Einstein est à l'asile ! Et imagine les autres patients apprenant sa présence. Sans parler du personnel soignant. Tu es un ennemi public, Albert, l'ennemi du peuple allemand. Ton seul nom suscite une haine immense. Cela accentuera le chaos dans l'esprit d'Eduard. Quant à le conduire à Vienne…, tu m'as confié te méfier de Freud. Et puis Vienne et Berlin, nous concernant, n'est-ce pas du pareil au même ? Non, ton fils est à l'abri en Suisse. Quant à espérer une guérison rapide, mon ami, inutile de te mentir… Nous pouvons peut-être souhaiter une amélioration. Ce sera lent et douloureux… Pour le traitement, dans l'immédiat, les avis sont partagés. La plupart de mes confrères neurologues partageront ton scepticisme quant aux bienfaits d'une analyse. Et je pense comme eux. Certains affirment que cela peut agir. L'épouse de Joseph Roth a semblé aller mieux, un temps. Tu sais comme moi qu'elle est au plus mal aujourd'hui. Nous ne disposons pas de grand-chose… L'opium, le chloral, n'en parlons pas… Depuis peu, le docteur Sakel à Vienne tente des cures à hautes doses d'insuline sur les cas graves. Il provoque un coma thérapeutique. Cela prive le cerveau de sucre. Sakel prétend que c'est un trop-plein de glucose qui entraîne l'excitation. La cure diminuerait l'agitation du patient, agirait peut-être sur le délire. Je reste sceptique. On entraîne un choc hypoglycémique. On atrophie les cellules nerveuses. Selon moi, cela peut entraîner des ravages... Écoute, l'essentiel est maintenant que tu voies par tes yeux. Que tu juges par toi-même de l'état de ton fils... Courage, Albert, il t'en faudra. »

Il marche d'un pas incertain sur un quai de la gare de Berlin. Elsa le tient par le bras. Elle lui parle avec cet accent doux, traînant, roulant les *r*. Elle prononce « Albertle ». Mais ces intonations languissantes, tirées de l'idiome de leur Souabe natale et qui, par le passé, ont toujours été pour lui un soutien, une consolation, parce qu'elles le ramenaient au doux murmure de l'enfance, ne parviennent pas à le réconforter.

Sur ce même quai de la gare de Berlin, seize années auparavant, en août 1914 – la veille du jour de la déclaration de guerre –, une autre femme, Mileva, avance à ses côtés, de sa démarche boitillante. Ses fils, Hans-Albert et Eduard qu'on surnomme Tete, alors âgés de dix et quatre ans, tiennent la main de leur mère. Il les accompagne jusqu'au train. L'atmosphère est glaciale. Le mari et la femme se séparent définitivement.

« Tu ne viens pas avec nous ? demande Eduard.

— Non, Tete, ton père ne vient pas, répond Mileva.

— Pourquoi papa ne vient pas ? » dit l'enfant.

Hans-Albert demeure silencieux. À son âge, il comprend ce que signifie un divorce. Des centaines de kilomètres sépareront dorénavant le père et ses fils. Papa reste à Berlin. Hans-Albert, Eduard et leur mère retournent vivre à Zurich.

« Tu viendras vite nous voir ? » fait Eduard.

Il viendra au plus tôt.

« Monte, Tete, le train va partir ! »

Il aide son fils cadet à gravir les marches du train. L'enfant s'accroche à son cou. Sa mère le saisit par les épaules. La famille s'installe dans un compartiment. Hans-Albert et Mileva s'assoient sans un regard au-dehors. Eduard monte sur un siège, colle son visage contre la vitre et glisse une main par la fenêtre.

« Tete t'attend à Zurich ! » lance l'enfant.

Il répond d'un geste de la main. Le wagon quitte lentement la gare. Il perd de vue le compartiment. Il demeure un moment immobile, le regard fixé vers le train qui s'en va.

Tete t'attend à Zurich.

Je suis aussi célèbre que mon père. Le E de l'équation, c'est le E d'Eduard.

Eduard $= mc^2$.

Vous voulez que je vous dise ce que je vois dans ces dessins ? Ce que m'inspirent ces ombres tracées à l'encre noire ? Je pourrais vous mentir, prétendre : cette planche, c'est le visage de ma mère en colère, dans celle-là, le gros chat s'adresse à moi. Mais je hais le mensonge. Je vous le répète, la psychologie est mon domaine de prédilection. Vos tests de Rorschach n'ont pas de secret pour moi. Je connais les ficelles. Je pourrais facilement me faire passer pour fou ou même le contraire. Savez-vous que mon père a croisé ce Rorschach sur les bancs de la faculté de Zurich ? Moi, j'aimerais rencontrer le docteur Bleuler, le vénérable ex-patron de votre Burghölzli. Monsieur le professeur Bleuler se targue d'avoir découvert la schizophrénie. J'aurais beaucoup à lui apprendre.

Sans vous commander, ne serions-nous pas mieux chez moi, 62, Huttenstrasse, troisième étage droite ? Nous prendrions un verre sur la terrasse, enfin, si les cactus qu'a plantés maman n'ont pas envahi la place, étrange tout de même cette passion pour les cactus. Chut, pas un mot, elle entend tout ce que je dis. Après quoi je suis puni dans ma chambre.

De ma fenêtre, je vois la Limmat faire ses méandres dans le rouge du soir. Cela m'apaise, les jours de grandes tensions nerveuses. Je souffre terriblement, voilà pourquoi je peine dans mes études médicales. Schopenhauer a écrit : « On peut avoir ce qu'on veut, mais on ne peut pas vouloir ce qu'on veut. »

Est-il normal que, depuis quelque temps, les gens me dévisagent ? On me suit dans la rue. On se comporte à mon égard comme si j'étais quelqu'un. La semaine dernière, je descends me promener jusqu'au lac comme tous les jeudis. La boulangère balaie devant sa porte. Elle me demande si tout va bien. Je réponds parfaitement. Son mari, Hanz, la rejoint, un homme de bon sens, qui fait un pain délicieux, allez-y de ma part. Il interroge son épouse, ne faudrait-il pas appeler un médecin ? Je lui dis inutile, Mme Frankel a l'air en pleine forme. Je quitte les lieux pour ne contrarier personne. Je dévale la rue. Arrivé sur les bords de la Limmat, je m'accoude à la rambarde. Un couple de cygnes s'approche en glissant sur l'eau. La femelle me fixe de ses grands yeux noirs. D'un naturel timide, je baisse le regard. Je vois tomber sur l'eau de grosses gouttes de sang. Je porte ma main à mon front. Ma paume revient rouge. Je parcours de l'index mon arcade sourcilière. Je remarque une plaie ouverte. Tout s'éclaire dans mon esprit. Je comprends les interrogations du boulanger et le regard scrutateur de la femelle cygne. Mais je ne saisis pas comment j'ai pu me blesser. Depuis un certain temps, ma mère cache les couteaux de cuisine, je vous dis qu'elle perd la tête. Je suis pris d'un soudain malaise, je m'évanouis. Je me réveille allongé sur le divan du salon, ma mère à mon chevet, un bandeau sur le crâne.

Mon histoire vous plaît-elle ? Celles avec des animaux ont toujours mes préférences. Excepté l'énigme de la poule et l'œuf. Qui est né en premier ? Mon père sait cela. Les lois de l'univers n'ont aucun secret pour lui. Il travaille sur les origines. Je tente de faire de même.

Que je parle à nouveau de ma mère ? Volontiers, d'habitude, les gens n'en ont qu'après mon père, comment papa a découvert la relativité, blablabla, vous connaissez la rengaine ou bien vous en avez une petite idée. Tout le monde a sa petite idée sur Einstein. Des types comme lui, il y en a un par siècle. Des types comme moi remplissent votre salle d'attente.

Hors mon père, je n'ai pas d'existence légale. Aviez-vous déjà entendu parler de moi avant que je débarque ici ? Non. Je n'existais pas. Qu'ai-je fait pour ne pas exister ? Rien. Je n'ai rien pu faire. Il n'y a pas de place dans ce monde pour un autre Einstein. Je pâtis d'un trouble du culte de la personnalité.

Pourquoi suis-je si virulent à l'égard de mon père ? Vous n'êtes pas au courant ? Je pensais que nous étions dans le domaine public. Mon père nous a abandonnés ma mère, mon frère et moi en août 1914 sur le quai de Berlin. Depuis, la guerre est déclarée.

Ah, oui, vous parler de ma mère... Je vous ai dit qu'elle boitait. On ne peut résumer une personne à sa forme physique quand elle dispose d'aussi grandes facultés intellectuelles. *Kuca ne lezi na zemjli, nego na zeni.* Quand je pense à maman, des mots serbes me viennent. « La maison ne repose pas sur la terre mais sur la femme », dit le proverbe. L'essentiel vient de ma mère. Je suis un Slave dans l'âme, fier de ma tribu et de ses traditions. Rien ne fera jamais plier un Serbe. Les Turcs n'y sont pas parvenus, nous avons assassiné l'archiduc en 1914, nous sommes prêts à déclencher d'innombrables guerres pour laver notre honneur. Ma mère a été la seule fille de sa promotion à être admise à l'École polytechnique de Zurich. Imaginez la fierté des siens ! Songez à la fête qu'a donnée mon grand-père Milos, au village de Kac. Regardez ce parcours, une légende ! La petite Mileva Maric quitte sa province pour l'École royale de Zagreb. Hélas, l'Empire austro-hongrois va lui fermer les portes de l'université de Prague. Alors la petite boiteuse traverse les frontières. Et la voilà, en novembre 1894, âgée de dix-sept ans, ses semelles orthopédiques aux pieds et tenant la main de son père devant le bâtiment de Höhere Töchterschule. Et, deux années plus tard, la petite bohémienne est acceptée dans une des plus prestigieuses universités d'Europe, l'École polytechnique de Zurich ! La seule fille du département de physique et de mathématique ! Hélas, Mileva tombe sous le charme de mon père. Si semblable tragédie était advenue à Marie Curie, les rayons X n'existeraient pas.

Mileva Maric a sacrifié ses rêves de grandeur pour s'occuper du petit Eduard, elle a abandonné ses études, son travail, ses ambitions. Pour changer mes couches. Voilà le vrai génie. Voilà l'humanité. Voilà l'être dont la photographie devrait faire les couvertures des journaux du monde entier. Les bonnes manières ne sont jamais récompensées. Une sainte femme, Mme Maric. Quelqu'un d'entier malgré son handicap. À toute chose malheur est bon, même si je cherche encore pourquoi je suis ici. Un jour, mon père travaillera sur mon cas. À quoi bon une telle intelligence si elle n'est pas mise au service de l'homme ? Celui qui a découvert les grands principes de l'univers ne peut-il travailler sur mon hémisphère droit ?

Je dois maintenant vous raconter une anecdote de la belle époque quand nous vivions encore tous les quatre, dans l'esprit de famille. Nous partagions, mon frère et moi, la souffrance des fils chéris. J'étais toujours le mieux servi. La maison tremblait du matin jusqu'au soir. On s'emportait pour un rien. À la tombée du soir, papa endosse son manteau. Où sors-tu ? Voir des amis. Nous ne sommes pas tes amis ? Maman se lève à six heures du matin, papa à dix. La fin de la matinée est une bonne raison de dispute. Il faut se méfier des parents, ils sont mari et femme. Maman se plaint des agissements de papa. Maman regrette le passé. Avant est un paradis perdu. Zurich, il n'y a que Zurich. Maman refuse d'habiter Prague.

Maman ne veut pas accompagner papa à Berlin. À Prague, les Allemands dominent tout. À Berlin, n'en parlons pas. Maman déteste les grandes villes. La belle vie est dans la nature humaine. Promenons-nous dans les bois. La formule du bonheur n'est pas dans les chiffres.

Un jour, une femme fait irruption dans nos assiettes. Celle qui deviendra la deuxième Mme Einstein. Pourtant maman se bat. Maman veut rester la première dame. La place paraît enviable. Maman surveille son pré carré. Maman est très soupçonneuse. La femme suspectée habite Berlin où mon père était parti résider. La future deuxième épouse connaît bien mon père. C'est, à vrai dire, sa cousine au second degré. Je ne comprends rien à cette histoire de degré. Zéro degré, il neige. Tout n'est pas à prendre au premier degré. Mais cousine au second degré ? Maman a trouvé une lettre dans la poche de mon père, parce qu'où voulez-vous qu'une femme jalouse cherche ? La lettre en dit long, à entendre ma mère. Un adultère entre cousins, c'est une affaire de famille.

Papa est rentré passer le dimanche avec nous. Il a fait le voyage de Berlin. Il semble plus heureux que jamais. Je ne sais ce qui dérange le plus notre mère, le bonheur de mon père ou la découverte de la lettre. Maman a toujours été dérangée. Papa prétend que je tiens d'elle. J'ai pris de l'être présent à mes côtés. À l'époque, je dois avoir cinq ans. Comment puis-je me souvenir aussi bien de cette dispute ? Vous pourrez me renseigner, le passé est votre lieu de travail. Je revois mon père sourire sans motif apparent. Ma mère a un regard noir. Mon frère est au collège. Ma mère me paraît immense dans mon souvenir, alors qu'elle est toute petite, nul ne prétendra le contraire. Nous déjeunons en silence. Ma mère fixe mon père du regard et lance : J'ai lu une lettre. Mon père ne répond pas. Une belle lettre, reprend ma mère. Je sens que quelque chose cloche dans le ton de sa voix. À cinq ans, on perçoit mieux les choses qu'aujourd'hui. Mon père dit qu'il reçoit souvent des lettres. Ma mère approuve, de belles lettres. Oui, dit-il, certaines plus belles que d'autres. Pour autant ce ne sont que des lettres. Oh, reprend maman, les mots veulent dire un tas de choses, surtout quand ils sont bien choisis, et les phrases joliment tournées. Mais il y a un sens caché dans les paroles de ma mère qui me met mal à l'aise. Les paroles qu'elle prononce ne semblent pas en rapport avec ce qu'elle pense, sans doute pour que je ne comprenne pas. Et ce subterfuge est un échec parce que je comprends que subterfuge il y a. Vous verrez, je suis quelqu'un de très intuitif. Mon père s'étonne que ma mère ait pu lire une lettre qui ne lui était pas destinée. Il demande si elle l'espionne. L'accusation est grave. On ne traite pas ainsi ma mère sans preuves. Maman répond que les hommes mariés ne sont pas au-dessus des lois. Même les physiciens. Papa rétorque qu'il n'enfreint aucune loi. Maman rappelle le 7e commandement de l'Ancien Testament. Mon père répond que dans sa tradition il n'y a pas de Nouveau Testament, par conséquent pas d'Ancien. Ce n'est pas parce que des siècles de catholicisme ont parlé de testament, que testament il y a. Ce n'est pas parce qu'on assène quelque chose, que cela devient une vérité. Il y a aussi un sens caché dans sa phrase. Ma mère revient à la charge : se souvient-il du 7e commandement ? Papa dit en riant qu'il n'a pas la mémoire des chiffres. Papa a tort de rire en de semblables circonstances. J'ai tourné la tête trop vite en passant d'un visage à l'autre. Je me sens perturbé. J'éprouve un grand besoin de calme. Je suis un être sensoriel. Ma main renverse un verre sur le carrelage. Cela fait un bruit terrifiant. Maman hurle contre moi, une claque part sur ma joue. Je ne suis coupable de rien. Mon père dit que ce n'est pas grave. Ma mère ramasse les bouts de verre, dit : Avec toi rien n'est grave ! Mon père répète ce n'est que du verre. Non, beaucoup plus que cela, crie ma mère. Mon père prétend ne pas comprendre. Tu comprends très bien, dit ma mère. La seule chose qu'il comprend, c'est qu'on ne doit pas fouiller dans les poches. Dommage, on y apprend beaucoup, dit ma mère. Il y a des choses qui ne se font pas, dit mon père. Je le confirme, dit ma mère. Mon mal de tête ne fait qu'empirer, je vous aurai prévenu. De quel droit t'autorises-tu ? demande mon père. C'est toi qui parles de droit ? Toi qui couches avec ta propre cousine ! Je ne comprends pas ce que maman veut dire. J'imagine qu'on ne peut pas coucher avec sa cousine. Il y a des lois pour cela, enfin contre. Je ne suis pas certain, je n'ai jamais eu de cousines même au premier degré. Mon père frappe du poing sur la table et se lève, il dit quelque chose de définitif et là, vous n'allez pas me croire parce que cela paraît impossible : à cet instant, les murs de la pièce ont commencé à bouger, la table elle-même s'est déformée, est devenue toute molle, mes coudes se sont dérobés sous moi, la voix de ma mère est devenue terriblement forte : tu es un monstre, un monstre ! Alors ma mère s'est subitement transformée. Elle a pris l'apparence d'un loup. Son corps s'est recouvert de poils, des griffes ont poussé au bout de ses longs doigts, et soudain, oui, vous pouvez me croire, ma mère a dévoré mon père. Vous me croyez, n'est-ce pas ?

3

Cela doit faire une heure qu'elle est assise sur un banc le long du lac. Elle était ressortie de chez elle, aussitôt après avoir passé son coup de téléphone à Albert et l'avoir prévenu de la catastrophe. Elle ne pouvait pas rester dans l'appartement au milieu du chaos laissé la veille par l'accès de violence d'Eduard. Elle souhaite un répit. Elle contemple les flots. Elle aimerait se laisser bercer. Que les eaux engloutissent le souvenir du jour passé.

Elle songe à la venue d'Albert. Cela fait deux ans qu'elle n'a pas vu son ex-mari. Depuis son second mariage, il ne vient plus à Zurich. Si le ressentiment s'est apaisé, elle ne parvient cependant toujours pas à pardonner. Ni le départ pour Berlin ni la séparation, son cortège d'offenses, le fait d'avoir été trompée, le sentiment d'avoir été humiliée. Après tout leur union n'était-elle pas vouée à l'échec ? Le mariage était né sous les pires auspices, considéré comme une mésalliance. Albert avait arraché la bénédiction de son père sur son lit de mort. Sa mère, Pauline Einstein, avait fulminé : « Tu es en train de gâcher ton avenir et ta carrière !... Ta *"Dockerl"* (ainsi

55

surnommait-il Mileva tandis que lui était son *"Johonzerl"*) elle n'a sa place dans aucune famille convenable !... Elle, c'est un livre. Comme toi. Alors que c'est une femme qu'il te faudrait... Tu n'auras pas trente ans qu'elle sera déjà une vieille sorcière. » Mileva était vue comme un être maléfique. Mileva était plus vieille qu'Albert. Mileva était infirme. « Si elle tombe enceinte, tu seras dans de beaux draps ! » Albert n'avait pas voulu se laisser dicter sa conduite. Ils s'étaient mariés en 1904. Dix ans plus tard, ils se séparaient.

Dans les bras d'Elsa, Albert s'est réconcilié avec sa famille. Elsa n'a rien d'une sorcière, Elsa n'est pas une étrangère. Elsa fait littéralement partie de la famille. C'est la propre cousine au second degré. Pauline adorait Elsa. Einstein, l'homme qui a défié les lois de l'Univers s'était fait pardonner la trahison de ses vingt ans.

Son regard est attiré par une petite fille qui court sur la berge. L'enfant glisse, tombe par terre, s'écorche le genou, pleure à chaudes larmes. Sa mère se précipite, la couvre de baisers, examine la blessure, prend un mouchoir, essuie la plaie. Les sanglots s'apaisent. Ce n'était qu'une égratignure.

Elle observe la mère et l'enfant qui s'en vont, main dans la main. Elle les perd de vue.

Elle avait une fille qui s'appelait Lieserl et Lieserl était née le 8 janvier 1902. Lieserl avait de splendides yeux noirs, belles prunelles sombres qui brillaient au soleil, renvoyaient un éclat, illuminaient le jour. Ces grands yeux de velours la fixent sans cesse, l'interrogent, innocents : Comment as-tu fait ça ? Quelles étaient tes raisons ? Ce regard la hante depuis trois décennies.

Ni le temps ni l'oubli ne viendront panser cette blessure. Rien ne lavera l'horreur de ce crime. Elle a été, voilà trente ans, coupable de la pire monstruosité. Elle a abandonné sa fille peu après sa naissance.

Albert et elle n'étaient pas encore mariés. Toutes les portes leur étaient fermées. Elle avait manqué l'examen de sortie du Polyteknikum. Lui avait été licencié de son poste du collège privé de Schaffhouse. Ils étaient sans le sou. Ils ne mangeaient pas à leur faim. Peu après sa venue au monde, on avait confié Lieserl à une nourrice, à Kac, dans son village natal. Lieserl était morte des mois plus tard des suites de la scarlatine.

Une chape de silence recouvrait cette disparition. Nul ne devait savoir, nul n'apprendrait jamais. Ils n'avaient mis personne dans la confidence. Ils n'en parlaient pas entre eux. La blessure était là, dans son cœur, béante et silencieuse. La naissance de deux fils n'avait pas cicatrisé la plaie. Rien ne peut apaiser pareille douleur. Rien ne peut réparer une honte semblable. Lieserl avait disparu. Son ombre continuerait de planer.

Hans-Albert et Tete savaient-ils ? Enfant, Tete tenait parfois de curieux propos. « Si j'avais une sœur, comment s'appellerait-elle ?... Si j'étais une fille, serais-tu contente de moi ?... Si j'étais une fille, m'aimerais-tu pareil ? » Elle s'emportait contre son fils : « Je t'interdis de parler ainsi ! » Il rétorquait : « Tu dis ça parce que vous ne m'aimeriez pas si j'étais une fille. Ici on ne laisse vivre que les garçons ! » Tete déchiffrait le silence des morts.

Lieserl était le secret le mieux préservé de la légende Einstein, mieux gardé que celui des

Templiers. Aucun registre n'attestera jamais de sa naissance. Nul ne se doute encore aujourd'hui, en 1930, trente ans après les faits, qu'Albert et elle avaient eu et abandonné un enfant, que cette enfant était décédée. Lieserl Einstein avait été effacée des mémoires. Pour l'Histoire, la descendance d'Einstein ne comptera que deux fils. Lieserl était enterrée dans un coin de Serbie, connus d'eux seuls et dont ils ne révéleront jamais le lieu. Lieserl est une tache effacée des esprits.

Et nul autour d'elle, pas même sa propre sœur Zorka n'a su qu'elle a été mère une première fois. Aucune des biographies consacrées à Einstein, aucun reportage sur sa vie, dans *Time Magazine* ou le *Frankfurter Allgemeine* n'ont fait mention de cet événement. Nulle épitaphe sur la petite tombe. Aucune preuve inscrite ou gravée dans le marbre. On est tombés d'accord sur une vie sans traces. Le prénom de Lieserl n'aura été inscrit que sur quatre feuilles de papier. Quatre lettres échangées entre Albert et elle, au temps de sa naissance[1]. Elle a juré à Albert avoir brûlé ces lettres. Elle a menti. Elle n'a pas pu gratter l'allumette, embraser le papier. Ces quatre lettres sont l'unique trace du passage d'un ange.

Elle a abandonné son enfant. Elle a été jusqu'à effacer son nom de la mémoire des hommes. Est-elle digne d'être mère ? Le drame d'aujourd'hui n'est peut-être qu'une punition du ciel, un juste châtiment.

---

1. L'existence de Lieserl n'a été révélée qu'en 1985 par la publication de la correspondance entre Mileva et Albert Einstein. (NDLA.)

Qui vous a mandaté pour m'espionner sans cesse ? Disposez-vous de toutes vos facultés médicales ? Montrez-moi les diplômes ! Avez-vous les épaules assez solides ? Un jour, au lieu de mes états d'âme, je vous révélerai le fond de ma pensée. J'ouvrirai mon cœur. Je vous plongerai la tête dans mes entrailles. Vous fuirez en courant. Vous demanderez l'asile. Ceux de mon âge se promènent bras dessus, bras dessous le long de la Plattenstrasse. Et je croupis dans ce lieu infâme devant un inconnu qui ne me répond pas, ne semble pas sensible à ma peine, me donne l'impression de parler à un mur.

Si vous aviez un semblant d'humanité, considérant comme je souffre, vous me prendriez la main, me diriez de me taire, épongeriez mon front et me reconduiriez à la maison.

Puis-je vous confier quelque chose sans vous heurter ? Tout à l'heure, quand vous avez quitté la chambre, un homme a pris votre place. Il n'a pas frappé à la porte, ce qui aurait été la moindre des politesses. Il ne s'est pas présenté. J'ai pu lire sur sa blouse qu'il s'agissait du surveillant Heimrat. Passons sur le fait que je n'ai pas besoin d'être surveillé. Le temps de l'école est révolu. Je vous l'ai dit, je suis en première année de médecine, j'y reviendrai plus longuement, j'espère. Ce monsieur m'a lancé d'un ton désobligeant pour un inconnu : « C'est l'heure de manger, lève-toi ! » On ne se connaissait pas et le tutoiement me semblait hors de propos. J'ai regardé ma montre, un cadeau de mon père, regardez, une montre suisse, papa n'a pas lésiné sur la dépense. Et voyez, au dos est gravé : « Pour toi, Tete. » Tete est mon surnom, j'y reviendrai aussi. L'aiguille marquait 11 h 15. J'ai répondu à ce monsieur prétendument surveillant que c'était trop tôt. Chez moi, nous mangeons à midi tapant. Pas midi moins cinq. Je suis très à cheval sur les horaires. Dans le cas contraire, tout se détraque dans mon esprit. Midi moins une et je n'ai pas faim. Midi une, mon estomac se serre. Chacun son horloge biologique. Je préviens donc le sieur Heimrat, chez moi on déjeune à midi.

« Chez toi ?

— Oui, on déjeune à midi. Midi est l'heure de manger. On n'a pas faim avant midi. C'est ainsi chez moi.

— Et où est-ce donc chez toi ?

— Je le sais, vous aussi.

— Peux-tu me donner une adresse ?

— Huttenstrasse, numéro 62, troisième étage, porte droite.

— Et que fais-tu alors, loin de chez toi ?

— Je ne sais pas.

— Que fais-tu ici ?

— Je ne sais pas.

— Réfléchis, Eduard. Je suis sûr que tu sais.

— Non.

— Est-ce que tu es perdu ?

— Non.

— Reconnais-tu les lieux ?

— Non.

— T'a-t-on forcé à venir ici ?

— Il me semble.

— Pourquoi t'aurait-on forcé ?

— Peut-être à cause de la désobéissance.

— Alors pourquoi refuses-tu d'obéir ?

— Je refuse juste d'aller déjeuner.

— Et si c'est un ordre ?

— On ne peut pas m'ordonner de manger, c'est dans ma constitution.

— Alors, il va falloir appliquer le règlement.

— C'est la raison de ma présence. »

Tandis qu'il prononçait ces mots, le surveillant Heimrat s'est mis à changer de visage. Ses sourcils ont commencé à pousser. Sa bouche est devenue grimaçante. Son nez s'est rallongé. Le surveillant Heimrat a grandi subitement, comme on le fait à l'adolescence. Il a gagné une tête. J'ai éprouvé un profond sentiment de malaise. Des palpitations battaient dans ma poitrine. Mes tympans résonnaient. La sueur coulait à grands flots sur mon front. Mes jambes défaillaient. Ma main droite, subitement, a perdu un de ses doigts. Je me suis baissé pour le ramasser. « Relève-toi ! » a ordonné Heimrat. Je ne pouvais abandonner mon doigt. J'avais besoin de ma main entière, pour jouer du piano, et aussi pour manger. Chaque geste du quotidien exige une bonne intégrité.

« Redresse-toi ! » a hurlé Heimrat.

Quelque chose m'empêchait d'obtempérer. Ce n'était plus tant mon doigt dont finalement j'aurais bien pu me passer. On peut vivre avec quatre doigts. Thomas Flubert, un camarade de lycée, s'était sectionné la main et vivait avec trois. Il n'y avait pas plus heureux que Thomas Flubert. Une force irrépressible m'a fait tomber. Je me suis mis à ramper au pied du surveillant. Il s'est mis à crier. « Veux-tu bien obéir ! Relève-toi ! » Je restais cloué au sol. Le marbre était propre, votre maison est tenue impeccablement, rien à reprocher de ce côté-là. J'ai aperçu mon doigt à un mètre devant moi, juste derrière le surveillant. Si Heimrat reculait d'un pas, sa semelle écrasait mon doigt. J'ai trouvé la force de tendre le bras gauche. À la seconde où j'étais sur le point de me saisir du doigt, j'ai senti tout mon corps soulevé par des bras puissants. C'était ceux de deux hommes, les assistants de Heimrat, dont j'ai appris qu'ils se nommaient Gründ et Forlich.

« On se tient droit ici ! commande celui qui se nommait Gründ.

— Pour qui te prends-tu pour te sentir au-dessus des lois, demande le prétendu Forlich, pour désobéir au règlement et au surveillant Heimrat ?

— C'est parce que tu t'appelles Einstein que tu te crois tout permis ? » a renchéri Gründ.

Je ne songeais qu'à mon doigt. Je me suis souvenu que Thomas Flubert n'était finalement pas si heureux que ça. Il avait toujours besoin d'une aide pour couper sa viande, même s'il n'y en avait pas tous les jours à la cantine du lycée. Sur la nourriture là-bas, il y aurait beaucoup à dire, j'espère que la cuisine de votre établissement est mieux tenue.

« Einstein, il n'y a pas de passe-droit, ici ! s'écria Heimrat. Nul n'est au-dessus des lois. Et certainement pas un fils à papa comme toi !... Allez, a-t-il ordonné à ses deux assistants, mettez-la-lui ! »

Et voilà pourquoi vous me trouvez ainsi affublé, dans cet accoutrement stupide qui me corsète, empêche le moindre geste, enserre mes poignets et m'étrangle le cou.

4

Il est seul dans le compartiment. Le train roule maintenant depuis plus de quatre heures. La vallée est recouverte d'un manteau de brume que, de temps à autre, le vent descendu des montagnes vient dissiper.

Parfois des larmes silencieuses coulent sur ses joues. Parfois il éclate en sanglots.

Il a arpenté les quais de toutes les gares d'Europe, marché dans les rues de Tokyo, foulé le pavé des ruelles étroites de Jérusalem, a traversé le canal de Panama. Il a été salué par le président des États-Unis et l'empereur du Japon, a été reçu par l'archevêque de Canterbury inquiet de savoir si ses découvertes remettaient en cause l'existence de Dieu. On l'a acclamé à Shanghai, accueilli en héros sur la cinquième Avenue. La terre entière l'a porté en triomphe. Et lorsqu'il revenait s'asseoir à son bureau, le voyage se poursuivait dans son esprit, vers des univers que nul homme n'avait foulés. Il explorait des nouveaux mondes dans la poussière des astres, naviguait au milieu des planètes, traversait des espaces sans fin, repoussait les frontières de l'entendement humain. Il défrichait des îlots de particules élémentaires, mesurait l'expansion de l'Univers, avait cru deviner des étoiles naines, des masses noires gigantesques. Il remontait jusqu'à la source de la création, des milliards d'années en arrière, fouillait pour entrevoir la lumière, approcher des premiers commencements, avant l'instant où il est dit : « Que la lumière fût. » Ses yeux contemplaient l'infiniment petit, son regard se portait dans l'immense absolu. Dans la solitude de sa chambre, il inventait une nouvelle ère dominée par la matière et affranchie du temps. Il unifiait les lois physiques, donnait une nouvelle définition de la lumière. La lumière est à la fois onde et corpuscule. Une autre définition du temps. Le temps s'écoule plus lentement au niveau de la mer qu'en altitude. Une autre définition de la matière : la matière est la courbure de l'espace-temps. Il pressentait l'impensable : des ondes gravitationnelles existent. On avait usé à son égard des superlatifs les plus insensés. Il était l'objet des plus violentes controverses. Il était encensé, adulé, haï. Il était le génie du siècle, le Christophe Colomb des temps modernes ou le diable incarné. Aujourd'hui, c'est un homme seul qui roule vers son malheur.

Le train dépasse une succession de villages. On approche de Leipzig. Bientôt ses larmes se tarissent, ses yeux sont secs.

Le cours de la vie normale est brisé. La vie d'Eduard et son cerveau, sa vie, celle de Mileva et celle d'Hans-Albert. Il nourrissait l'illusion de maîtriser les événements. Il pensait que le sort de l'humanité dépendait de sa science. Il croyait avoir résolu les plus grandes énigmes. Une mouche bourdonne dans le compartiment, se cogne contre la vitre, tourne en rond au-dessus du siège en face. Son destin vole désormais aussi bas que cette mouche.

Le train s'arrête en gare de Leipzig. Il voit monter un groupe de chemises brunes. Leurs bottes résonnent sur le sol, les poings cognent contre les vitres. Ils passent sans le voir.

Le train est reparti. La locomotive crache sa fumée noire.

Il se demande s'il a pu commettre une faute qui pût provoquer pareil désastre. Quelque chose dans son comportement a-t-il abîmé le cerveau de son fils ? Un geste, une succession de propos ont-ils accompli l'irréparable ? Ou bien tout est tracé d'avance et tout est dans les gènes. Notre sort dépend du hasard.

Il a cru en l'intelligibilité de l'architecture du monde. Il ne peut imaginer un dieu qui récompense et punit l'objet de sa création. Il a toujours vu la raison se manifester dans la vie. Et la raison n'est plus nulle part dans l'esprit de son fils.

Il disait : « Je détermine l'authentique valeur d'un homme d'après une seule règle : à quel degré et dans quel but l'homme s'est-il libéré de son moi ? » Et voilà l'esprit d'Eduard privé de toute entrave, dépourvu de limites.

Il disait : « Dieu fait de nous des mortels immortels. Nous créons ensemble des œuvres qui nous survivent. » Voilà sa descendance entraînée dans le néant.

La frondaison des arbres borde la route. Le train s'enfonce dans une forêt sombre. La lumière filtre à travers les feuillages. Il croit apercevoir au loin la silhouette d'un cerf traversant les bois. Il se souvient des balades aux côtés d'Eduard, près de Zurich. Ils partaient des journées entières. On se promenait au Zurichberg, on allait au Hörnli, on marchait sur le Lägern. On flânait au milieu des hautes fougères, seuls, main dans la main, jusqu'à la nuit tombée. On marchait sous les érables et les châtaigniers dorés. Il apprend à son fils le nom des arbres et celui des oiseaux. L'enfant boit ses paroles. Pourtant il sait déjà tout. Tete est si doué. L'enfant le corrige sur le nom d'un rongeur ou d'une fleur des bois. Mais parfois, et de façon brutale, l'enfant se retire du monde. Eduard s'absente. Eduard se tait. Eduard entonne une comptine. Et ce qu'il exprime est soudain dissocié du contexte. Son discours est brisé. Après tout, le fils ne tient-il pas de son père ? Lui-même était un enfant différent des autres, solitaire, irascible, surnommé « l'Ours » et dont les crises de colère terrorisaient l'entourage. Hélas, la forme d'étrangeté qu'il devine chez Eduard lui semble sans pareil. Il ne parvient pas à la mettre sur le compte de l'hérédité. Un sourire qui jure avec un sentiment de tristesse. Une envie irrépressible, immotivée. Une césure brutale et passagère avec le monde alentour.

Il se demande si la séparation d'avec Mileva a pu accentuer les troubles. La distance entre lui et ses fils, l'abîme qui s'est creusé avec son ex-femme ont-ils constitué des éléments favorisants ? Et ces tombereaux de haine déversés entre époux. Non ! Les enfants de divorcés ne finissent pas à l'asile. Quant à la descendance des prétendus génies, qui peut savoir ce qu'elle devient ? La seule certitude,

Mileva vit depuis toujours de longues périodes de désespoir. L'unique hérédité avérée, celle de la tante Zorka.

Mais il ne veut incriminer ni épouse ni tante. Et il ne plaidera pas coupable. Il ne dressera pas l'inventaire des fautes. Il ne mènera pas l'enquête. Il ne remuera pas le passé. Il ne remontera pas le chemin de l'enfance. Il n'attendra le dévoilement d'aucune vérité fatale. Aucun tribunal intérieur ne siégera. Aucun aveu ne sera fait. Pas de malédiction qui tienne. Nulle faute commise, nul acte répréhensible. Il n'y a rien à comprendre. Expliquer serait faire offense à la souffrance. Injurier ce malheur immense, cette vie de pauvre hère qui semble débuter. Ce temps de tourment, de douleur et de peine où l'existence d'Eduard a basculé, ce monde hors du monde. Nulle explication, ni refuge ni consolation, pas de salut dans la fuite, de remède au drame ou de clé du mystère. Ne pas percer le jeu des ombres. Mesurer simplement l'étendue du malheur comme il voit défiler, sous ses yeux, les forêts dans l'interminable nuit.

Le train ralentit. On entre en gare. Un homme pénètre dans le compartiment, s'assoit face à lui. L'homme sort de son cartable un livre et se plonge dans la lecture.

À la gare suivante, l'homme répond aux signes d'une femme l'attendant sur le quai, un enfant endormi dans ses bras. L'homme s'apprête à partir. Avant de sortir, il se retourne et demande, avec un sourire affable :

« Vous avez des enfants, monsieur Einstein ?... Deux fils ! Comme vous devez être fier ! »

Il se retrouve à nouveau seul. Des images du Burghölzli lui traversent l'esprit. Il revoit l'immense bâtiment. L'endroit lui est si familier. Il s'y est rendu à de nombreuses reprises au début du siècle, quand il était étudiant au Polyteknikum. Dans le cadre de l'étude des sciences humaines, un cours de psychologie est donné par les plus grands professeurs au sein de la clinique. Comment le destin peut-il ainsi jouer avec les hommes ? À quoi s'amuse Dieu si un tel dieu existe ? Quels dés viennent-ils de se lancer et dans quel dessein ? Les dés sont retombés, là, en ce lieu tourmenté. Il allait au Burghölzli lorsqu'il avait vingt ans. C'est l'âge de son fils aujourd'hui. Père et fils au même âge, à trente ans de distance, au même endroit maudit.

Il se revoit, à vingt ans, étudiant de l'École polytechnique de Zurich, traverser le perron du Burghölzli où les cours de science sont donnés. Il marche dans le jardin. Il n'avance pas seul. À ses côtés, Marcel Grossman et son ami Besso. Et derrière, cette jeune femme dont il aime la voix, la douceur, la présence et dont il entend le pas crisser sur le gravier. La petite troupe d'étudiants est accueillie dans une salle réservée à l'écart de la nef des fous. Ses amis ont pris l'habitude de laisser une place libre à sa droite. Mileva s'y assoit. Ensemble les étudiants commentent les cours, échangent leurs opinions. Ces cours le passionnent. Mileva s'y ennuie.

Les plus éminents psychiatres, universitaires de renom, médecins-chefs reconnus enseignent là. Eugen Bleuler, le directeur du Burghölzli, Rorschach et Jung. Auguste Forel, docteur *hono-*

ris causa de l'université de Zurich, tente de faire partager ses théories sur l'eugénisme et la stérilisation forcée des malades mentaux. Eugen Bleuler s'étend sur sa découverte capitale. Une véritable révolution dans la science des âmes. Dorénavant, il ne sera plus question de démence précoce, moi, professeur Bleuler, j'ai inventé le terme de schizophrénie. Einstein, qu'en dites-vous ?

Lentement, le paysage change. Au lieu des grands plateaux, des plaines, se dressent des montagnes. On franchit d'interminables tunnels. On longe des précipices. De la neige recouvre les hauteurs. Une tristesse immense plane au long du chemin. Il finit par s'assoupir.

Il aura dormi d'un mauvais sommeil. Le train a traversé la frontière. On entre maintenant en gare de Zurich. Il se lève, prend sa valise, sort du compartiment. Il descend du wagon, traverse le hall, trouve un taxi au-dehors. Il indique au chauffeur la destination. La voiture parcourt la ville. Le jour est en train de se lever. Depuis la route, il voit au loin l'immense bâtiment se dresser. Il demande au taxi de s'arrêter. Il souhaite marcher un peu. Il règle, sort. Il emprunte le chemin qui mène au Burghölzli.

Il parvient devant le bâtiment, sonne à la cloche du portail. Un homme en blouse blanche ouvre, le reconnaît, lui sourit, le salue, le convie à le suivre. On marche dans le jardin.

« Professeur Einstein, dit l'infirmier, puis-je solliciter un autographe ? Vous savez, c'est un bonheur pour nous d'accueillir votre fils. Enfin, si je puis m'exprimer ainsi. Ma mère répète souvent qu'à l'époque où elle travaillait comme serveuse au Terrasse, elle a pris votre commande à déjeuner. À l'époque, elle n'a pas osé vous parler. Et maintenant, c'est moi qui sers à manger à votre fils. »

Il pénètre dans le bâtiment. Ses pas résonnent sur le marbre. Il suit l'infirmier sous un porche. À mesure qu'il progresse dans le couloir, les hommes sont de plus en plus nombreux. Quelques-uns discutent entre eux. D'autres demeurent silencieux, le regard fixe.

« C'est l'heure de sortie, explique l'infirmier. Mais ils préfèrent rester à l'intérieur. Ils ont peur des orages. »

Il entend crier dans son dos : « Einstein ! Einstein ! » Il se retourne. Un inconnu se poste devant lui, un sourire sardonique sur les lèvres. « Excusez-moi, explique l'homme, je vous ai pris pour un autre ! »

Ils poursuivent leur marche. Un couloir plus étroit donne sur une succession de portes.

« Ne soyez pas inquiet en voyant votre fils, dit l'infirmier. Vous comprenez, il s'est montré très violent. »

Ils s'arrêtent face à une porte. L'infirmier tire de sa poche un jeu de clés, en introduit une dans la serrure, tourne deux fois, et ouvre. Une lumière crue inonde la chambre. Un matelas est posé sur un sommier en fer. Dans un coin de la pièce, Eduard se tient, immobile, assis en tailleur, la tête penchée, les yeux dans le vague. Il est enserré dans une camisole.

62, HUTTENSTRASSE

1

Elle se sent abîmée, amoindrie et brisée depuis ce jour funeste, il y a maintenant trois ans. En ce printemps 1933, c'est devenu une femme sans âge, aux cheveux grisonnants, accablée de fatigue, les nerfs usés.

La vie a chaviré. Le monde s'est obscurci. Son nouvel univers se trouve délimité par le tracé de la route qui va de la maison au Burghölzli. Les mois défilent au rythme des internements et des sorties. Elle vient chercher Eduard à la porte du Burghölzli pour le conduire chez elle. Quelques semaines plus tard, un accès de démence ramène Eduard entre les murs.

Elle préfère ne plus compter les hospitalisations. Elle n'interroge plus les médecins sur un quelconque bénéfice de leurs méthodes. Elle ne pose plus de questions. Elle contemple la souffrance dans les yeux de son fils. Par deux fois, Eduard a tenté de se suicider. Elle est la compagne de la folie. Elle s'acoquine avec la mort.

Chaque matin, en se levant, elle se demande de quoi le jour sera fait. Elle suit l'humeur d'Eduard comme un chien en laisse. Parfois, elle a l'impression de mener son maître sur le droit chemin. La plupart du temps, elle se laisse traîner. Elle vit selon les caprices du mal, ses heures réglées par les pensées vagabondes.

Elle ne va plus se promener le long de la Limmat. Plus jamais elle ne flâne sur les boulevards, devant les vitrines. Elle ne contemple plus le ciel. Elle ne s'observe plus dans la glace. Le temps qu'il fait importe peu. Rien de ce qui est étranger à Eduard ne compte. Sa vie tient en six lettres.

Elle n'exprime aucune récrimination. Elle ne se plaint jamais. Il n'y aurait pas de mots pour qualifier son calvaire. Les pensées manqueraient. Elle préfère préserver les mots et les pensées, dédier à son fils chaque instant, chaque parole, chaque pièce, chaque billet, chaque heure, chaque seconde. Son temps est désormais sacré. Elle ne veut rien dépenser. Tout ce qui n'est pas destiné à Eduard est un immense gâchis.

La chambre d'Eduard est le centre de l'univers. Le cerveau d'Eduard est le maître du monde.

Les saisons ont disparu. Il n'y aura pas de joli mois de mai en cette année 1933. L'arrivée du printemps, c'est Eduard qui dort une nuit entière d'affilée. L'annonce de l'hiver, une sirène d'ambulance attendant au bas de la maison.

Et si l'idée lui venait de quitter la prison de ses jours, un cri, un silence trop long viennent la retenir, l'enjoindre de revenir.

Parfois survient un instant de calme. Rien n'empire. Elle connaît un bref soulagement. Elle n'ose espérer que ce moment se prolonge. Elle croise les doigts. Elle implore le Seigneur en silence. Sa prière n'est jamais reçue.

Un infirmier prénommé Dieter veille sur Eduard depuis ce jour de mars 1932 où elle avait été contrainte de s'absenter une longue heure. Elle avait retrouvé son fils baignant dans son sang, le poignet tranché.

Dieter se tient à ses côtés, la journée et la nuit. Il dort dans le salon. Il arrive qu'Eduard refuse de laisser la porte de sa chambre ouverte. Dieter passe alors d'interminables heures à négocier. Je veux mon intimité ! clame Eduard. J'ai droit comme chacun a une intimité. Je ne veux pas qu'un autre m'intimide. Chaque être humain a des droits. Eduard a droit à une porte close. Voir la Déclaration des droits de l'homme et du citoyen. Nul ne peut vivre sous la contrainte. Ouvrir la porte est contraire à ma dignité humaine. Dieter se fatiguera avant Eduard. Eduard a des pouvoirs magiques. Eduard possède une force infinie. Tu n'es qu'un infirmier misérable. J'aurais pu être un médecin renommé. Tu n'as pas à en décider autrement. Nul ne choisit le destin d'Eduard.

Seule, elle n'avait plus la force.

Le concours de Dieter coûte une fortune. Les séjours répétés au Burghölzli la ruinent. L'argent que lui remet chaque mois son ex-mari suffit à peine. Il y a bien sûr la dotation du Nobel. Albert avait respecté sa promesse de lui céder les 80 000 couronnes allouées au lauréat. L'argent avait été divisé en deux parties. 40 000 ont été consacrés à l'achat de deux appartements. 40 000 ont été placés. Le pécule a fondu pendant la crise de 29. Aujourd'hui, elle donne des cours de mathématique et des cours de piano. Elle fera des ménages si les circonstances l'exigent. Elle espère que ses hanches tiendront. Voilà où repose sa seule espérance : tenir.

Elle somme son ex-mari de lui donner plus d'argent. Mais les nazis ont confisqué ses biens, raflé l'argent déposé à la banque, l'ont dépossédé de la maison de Caputh, de l'appartement de Berlin. Albert quittera l'Europe ruiné. Pour lui est venu le temps de l'exil. Depuis qu'Hitler a pris le pouvoir, il est l'ennemi juré du régime. Il ira vivre en Amérique. L'heure du grand départ a sonné. Il est prévu qu'il vienne dire au revoir à son fils. Elle n'attend rien de cette visite. Elle sait qu'il ne fait pas le détour pour elle. Albert se moque de la revoir ou pas. Albert a d'autres préoccupations. La Gestapo est à ses trousses.

Elle espère que tout se passera au mieux avec Eduard. Elle a peur des retrouvailles. Elle redoute le dernier adieu.

Si je devais en croire certaines autorités, rien de ce que je vois n'a de réalité. Mais les gens qui prononcent de telles assertions existent-ils vraiment ? Ne sont-ils pas les marionnettes de mon esprit supposément malade ? Peut-être suis-je seul dans l'univers ? Et si toutes mes perceptions ne sont qu'hallucinations, peut-être que l'univers lui-même n'existe pas ? Peut-être ne suis-je moi-même que le produit de mon imagination ?

Depuis trois ans, je suis au Burghölzli comme un poisson dans l'eau. Je rentre et je sors comme dans un moulin. La semaine dernière, nous avons eu la chance de recevoir le docteur Jung, qui a toujours travaillé sur les hommes de ma condition. Cet homme a des yeux très doux. D'un simple regard sur vous, il semble vous comprendre et pénétrer votre âme. Lorsqu'il a su qui j'étais, il est venu me parler. Avec délicatesse il n'a pas fait allusion à mon nom. Il s'est juste inquiété de ma santé. Étais-je bien traité ? J'ai répondu que tout allait au mieux excepté la gêne due aux hurlements des loups, il a promis qu'il en aviserait la direction. La bonté faite homme.

De retour à la maison, je retrouve Dieter. Dieter est comme mon frère, sauf qu'il est payé pour rester à mes côtés, contrairement à Hans-Albert que je ne vois plus beaucoup. Hans-Albert est marié maintenant. J'aime beaucoup sa femme, Frieda. Elle a eu un fils et m'a fait oncle. C'est une nouvelle responsabilité sur mes épaules même si je ne sens rien, à bien y regarder. Je ne dois pas être digne de la charge. Frieda ressemble un peu à maman jeune, du moins au dire de maman puisque je ne l'ai personnellement pas connue ainsi ou bien j'étais trop petit pour comprendre. Frieda est à nouveau enceinte. Si c'est un garçon cela fera deux avec Bernhard, mon premier neveu. Je m'occuperai de lui dans la mesure du possible même si je suis quelqu'un de très pris par ses propres pensées.

Dieter, mon infirmier personnel, me suit comme un autre moi-même. Il est censé me protéger. Je ne vois pas où est le danger. Un jour, j'ai réussi à déjouer sa surveillance. J'ai alors soudain eu la certitude que je pouvais voler. C'est une impression de puissance que nul n'a sans doute ressentie avant moi. Mes bras étaient des ailes. Le ciel m'appelait. Je savais que je pouvais survoler la ville basse et me poser sur le lac. Les gens comme moi ressentent les choses différemment. Nul ne peut nous comprendre. Je me suis glissé jusqu'au balcon. J'ai enjambé la balustrade. J'allais accomplir ce que nul homme avant moi n'avait réalisé. Ce que même mon père ne pourra jamais faire. Je serai le premier homme à voler, Eduard Einstein, en deux mots. J'ai regardé droit devant. Les cieux me tendaient les bras. J'ai éprouvé un sentiment de légèreté absolue. Soudain, j'ai ressenti un poids à mon pied gauche. Quelque chose me tirait vers le sol, m'empêchait d'accomplir mon prodigieux destin. De laisser mon nom dans l'Histoire. Et au lieu de moi, c'est mon rêve qui s'est envolé.

Voilà pourquoi je n'ai encore confié à personne que je savais marcher sur l'eau. Je crains les jalousies. Ici tout le monde n'est pas si bienveillant. Je me souviens quand, petit, j'ai appris à nager. Papa se tenait au bord du lac. J'entends encore ses hourras quand j'ai fait mes premières brasses. Tu parles d'un exploit !

En vérité, je vois bien que seul ce qui a rapport avec mon père vous intéresse. Il m'a toujours surnommé Tete. C'est en réalité Dete, qui signifie « l'enfant » dans notre langue serbe, celle que parlait ma mère, ma langue maternelle. Mon frère ne parvenait pas à prononcer le *d*, et disait Tete au lieu de Dete. Et tout le monde autour de lui riait de son défaut de prononciation. Le nom m'est resté. Tete.

J'entends encore mon père prononcer les deux syllabes. Je redeviens un petit garçon sur les rives du lac de Zurich. Nous marchons en famille, tous les quatre, mon père et moi devant, main dans la main. Papa me montre les embarcations qui filent sur l'eau. Papa adore la voile.

« Nous voguerons un jour, bientôt, dès que tu auras l'âge.

— Seulement toi et moi, papa ?

— Oui, toi et moi, nous traverserons le lac, nous irons face au vent, nous affronterons la tempête car tu sais qu'il y a des tempêtes même sur le plus calme des lacs.

— Je pourrai tenir la barre, papa ?

— Évidemment, tu seras capitaine, je serai le matelot.

— Capitaine Tete ?

— À vos ordres capitaine ! »

Dans notre dos, maman avance plus lentement. Hans-Albert la tient par le bras. Tu es là, près de moi, frère, dans mon souvenir d'enfance. Tu marches auprès de maman. Pourquoi ne viens-tu pas, maintenant ? Nous avons grandi tous les deux. Nous sommes à l'âge d'homme. J'ai changé, tu verras. Nous pourrons nous entendre. Cette balade est un souvenir précis, immuable. Ces temps-là ont bien existé. Tete a connu le bonheur en cette vie. Il a quatre ou cinq ans, des photos le prouvent. Tete court maintenant devant son père, puis il court autour de son père et Einstein rit aux éclats, arrête, Tete, s'esclaffe-t-il, tu me fais rire, j'entends la voix de mon père, ce n'est pas une hallucination, je connais les hallucinations même si parfois je ne saisis pas bien la différence entre rêve et réalité, les hallucinations sont rarement heureuses, ce sont des instants effrayants qui me laissent anéanti. C'est à ça que je reconnais après coup les hallucinations parce que sur l'instant on me traite de dément, on ne veut pas me croire. Je souffre doublement. La tempête ne prend-elle jamais fin ? Heureusement, je garde de bons souvenirs.

Depuis le temps que je fréquente les lieux, j'ai dû battre le record de présence de ma tante

Zorka au Burghölzli. Vous ne connaissez pas Zorka ? Renseignez-vous ! La sœur aînée de maman, Mlle Zorka Maric, a fait un long séjour ici même, au Burghölzli, dans le pavillon des femmes. Je suis venu à plusieurs reprises lui rendre visite, voilà pourquoi ces lieux me sont si familiers et, pour tout vous avouer, assez plaisants. Bien entendu, moi, je ne fais qu'y passer, c'est différent pour vous qui y êtes perpétuellement.

Ma tante est venue séjourner ici au milieu des années vingt, la date doit être inscrite dans vos registres, j'ai l'impression que c'était hier. Depuis quelque temps, je perds la notion du temps. Tout s'embrouille dans mon esprit. Peut-être pourra-t-on m'aider à y voir plus clair ? S'il était également possible de faire taire ce bruit dans mes oreilles, je vous en serais reconnaissant. Le bourdonnement finit par incommoder. Et pourtant, je suis dur à la douleur. Le mois passé, je me suis tranché les veines, cela ne m'a fait ni chaud ni froid. Ma mère était dans un tel état que j'ai juré de ne plus recommencer. Je tiendrai promesse. Je n'ai qu'une parole même si nous sommes plusieurs à nous exprimer par ma bouche.

Tante Zorka occupait la chambre 125, un nombre facile à retenir contrairement à 259. Ici, Zorka se sentait bien. Elle se plaignait cependant aussi de trop porter la camisole. J'espère que vous allez enfin cesser d'exercer de telles pratiques. Et dans le cas contraire, je me plaindrai à qui de droit. Mon père connaît du monde.

Pour le reste, Zorka fut ravie du séjour. De retour à la maison, elle était transformée. Un calme méconnaissable.

Si ce n'est une légère tendance à affabuler – partagée par tant de gens – j'ignore ce qui était reproché à tante Zorka. Ici, nous avons connu de grands moments de joie. Nous devisions sur l'état du monde. Tante Zorka détestait la terre entière, en particulier les Allemands qu'elle rendait coupables de la disparition de son frère, l'oncle Milos, enrôlé dans l'armée austro-hongroise impériale et fait prisonnier sur le front russe.

Tout cela est du passé. Tante Zorka est retournée à Novi Sad. Elle vit seule entourée de cinquante chats et ne se nourrit que de Kipfel, si vous aimez les gâteaux secs. Maman refuse que je lui rende visite. De quoi suis-je puni ?

2

Il a quitté Berlin définitivement. Il passera la nuit du 4 au 5 mai 1933 à Zurich. Il veut dire au revoir à son fils avant d'embarquer pour l'Amérique.

Il a rendu son passeport. Il ne sera plus allemand. Il ne marchera plus sous la menace. Il n'entendra plus les clameurs assassines. Il a démissionné de l'Académie de Prusse. Trois mois qu'Hitler est au pouvoir, tous les droits civiques ont été abolis. Les persécutions antijuives ont redoublé de violence. Par milliers, on interne à Dachau. Il connaît bien Dachau. Dans l'enfance, lorsque sa famille vivait à Munich, on allait souvent se promener dans la forêt avoisinante, le dimanche. On allait à Germering. On allait à Starnberg. Il n'ira plus en forêt le dimanche.

Goebbels a mis sa tête à prix. Il est numéro un sur la liste noire des personnalités à abattre. Devant Thomas Mann, Joseph Roth, Ernst Weiss, Walter Benjamin, Alfred Döblin, Arthur Kern. Il vaut cinq millions de marks. Le mois dernier, sur la côte belge où il réside temporairement, deux membres de la Gestapo ont été arrêtés près de son domicile.

Son ami, Michele Besso lui a dit : « Toi et Eduard, vous partagez la même existence. On vous suit comme une ombre. »

Dans quel état retrouvera-t-il Tete ? Quelles seront les dispositions de son fils à son égard ? Les dernières lettres du garçon sont empreintes d'une rage extrême. Le fils voue à son père une haine sans bornes. Dans quelle mesure doit-il prendre ses paroles au mot ? Quelle est la part du vrai et la part de folie ?

Son ami Michele Besso qui vit à Berne permet de conserver le lien entre Teddy et lui. Michele a toujours montré une tendresse particulière pour son fils cadet. Il voit régulièrement Eduard à Zurich, et rend compte, dans ses lettres, de l'état de son fils. Leur correspondance a déjà vingt ans d'âge, elle remplirait des cartons entiers. C'est à Michele qu'il a dédié en 1905 l'article sur la théorie de la relativité. Michele est le premier à avoir lu la formule $E = mc^2$. C'est Michele qui l'a convaincu que, décidément, oui, son intuition était la bonne, le petit fonctionnaire deuxième classe de l'Office de Berne allait révolutionner la physique mondiale. Leurs courriers parlent essentiellement de physique et de mathématiques. Mais, depuis trois années, les lettres de Michele sont émaillées de reproches. Pourquoi ne vient-il pas voir Tete plus souvent ? Pourquoi n'emmène-t-il pas Tete avec lui en Amérique ? Ce garçon a besoin de son père. La plupart du temps, il ne répond pas, laisse passer plusieurs semaines avant de prendre la plume. Besso, qui n'est pas homme à renoncer, revient régulièrement à la charge.

Un jour, peut-être, il emmènera Teddy en Amérique. Un jour, père et fils reprendront la route comme jadis, lorsqu'on partait marcher sur les sentiers de montagnes. Mais par les temps qui courent, le grand voyage n'est pas envisageable. Teddy est incontrôlable. Comment imaginer la traversée de l'Atlantique ? Teddy seul sur un paquebot au milieu de l'océan. Le garçon a déjà tenté par deux fois de sauter par la fenêtre du 62, Huttenstrasse. Mileva et l'infirmier l'ont sauvé de justesse. Comment son fils supporterait-il un voyage de plusieurs jours, et l'appel du vide, l'abîme qui le réclame ? Comment endurerait-il une semaine à bord, aux côtés d'un père qu'il dit haïr plus que tout au monde, rend responsable de son état, de ses moindres échecs ? Offrir un tel voyage vers une mort promise ?

Il peut aussi imaginer l'arrivée à New York. Einstein débarque en Amérique. Les flashes crépitent, les foules s'amassent. Et qui est le garçon à l'air un peu absent, à côté du génie ? Il imagine la une du *Time*, la photographie du père et du fils, côte à côte. L'article insinuant le doute dans les esprits. L'insistance des journalistes pour interroger son fils. Le désarroi mué en discours délirant. Non, Eduard n'est pas un animal de foire.

Contrairement à l'opinion répandue, l'Amérique n'accueille pas Einstein à bras ouverts. Un groupe de pression important, la *Woman Patriot Corporation*, mène campagne pour lui interdire le droit d'entrée aux États-Unis. Une pétition organisée en ce sens a rassemblé des milliers de signatures. Le groupe et ses soutiens l'accusent de sympathies communistes. On lui reproche son pacifisme. Le FBI enquête. Son opposition au régime nazi jette le doute sur lui. Ses articles parus dans la presse américaine dès 1925 contre la ségrégation raciale lui valent d'innombrables ennemis. On l'a prévenu, il ne sera pas facile d'obtenir la citoyenneté américaine. Les portes d'Ellis Island commencent à se fermer. L'administration Roosevelt exige pour tout immigrant juif allemand une attestation de bonne conduite délivrée par le gouvernement... nazi ! Le Département d'État refuse l'admission de tout réfugié fiché par la Gestapo.

Sa réponse aux attaques de la *Woman Patriot Corporation* a fait la une du *New York Times* : « Jusqu'ici, je n'ai jamais fait l'objet d'un tel rejet de la part du beau sexe, ou si cela m'est arrivé, ce ne fut jamais de tant à la fois. Mais n'ont-elles pas raison, ces citoyennes vigilantes ? Pourquoi ouvrirait-on sa porte à quelqu'un qui dévore les capitalistes sans cœur avec autant d'appétence ? »

Tete en Amérique ? Eduard a besoin de calme. Il faut à ce garçon le spectacle du lac paisible et lointain, les toits de la ville, les montagnes des Alpes. Rien ne doit venir perturber son esprit, enrayer la machine, ajouter un grain de sable au grain de folie.

Michele Besso a tort, Teddy n'a pas besoin de son père actuellement. Sa seule présence nuit à l'équilibre mental de son fils. Il est la cause de quelque chose. Il se voit comme un spectre, un feu follet s'agitant dans l'esprit de Teddy.

Il fait partie de l'imaginaire collectif. Il est l'obsession de Goebbels et du patron du FBI. Le grand mufti de Jérusalem l'a récemment accusé de vouloir, lui, Einstein, détruire la mosquée d'Omar. Il est cette figure écrasante dans un esprit fragile.

Il va dire un dernier adieu à son fils. Il aime Tete plus que tout au monde. Il quitte l'Europe. Sa maison a été pillée par la Gestapo au prétexte qu'elle pouvait receler des armes destinées aux communistes. Il ne reste rien de son passé en Allemagne, rien des heures de gloire, rien des rivages heureux.

Aux abris ! On me dit que papa arrive. Branle-bas de combat à la maison. Le patriarche revient. Cela va faire des mois qu'on n'a pas vu l'absent. On lui déroule le tapis rouge. On met les petits plats dans les grands. Que croit donc maman ? Qu'Einstein va revenir vivre à Zurich comme au bon vieux temps ? Mon père est simplement de passage. Il va s'asseoir sur le canapé comme en terrain conquis. Effacées les offenses. *Ecce homo*.

À ce qu'on murmure, mon père ne roule plus carrosse. Finie la maison de campagne près de Berlin. Aujourd'hui, baraque en bois sur la côte belge. Bien fait pour toi, Albert. Tu fais trop le malin. Tu provoques le monde, tu éclabousses le peuple avec ton génie, tu écrases tout sur ton passage. Avec l'Adolf, c'est le combat des hommes à moustaches. Papa, tu voulais me donner des leçons, tu apprends enfin la vie. C'est douloureux, n'est-ce pas, ce poids sur les épaules ?

On m'a expliqué que papa quittait l'Allemagne à cause des juifs. C'est la grande question du moment outre-Rhin, qui est juif et qui ne l'est pas. On voit bien que les gens ne sont pas malades pour s'attacher à des choses pareilles. Allez parler de races supérieures au Burghölzli ! Nous sommes tous égaux devant le surveillant Heimrat.

Pour la venue de papa, promis, on ne parlera pas de surhommes. Maman veut que ce soit la fête. Une dizaine d'invités sera présente. Jamais vu ça. Buffet et concert prévu. Le père prodigue revient. Maman est tout émue. Elle me dit de ranger ma chambre. Je sais ce que cela sous-entend. Il paraît que je devrais cacher les images pornographiques au-dessus de mon lit. Je n'ai rien à cacher.

La dernière visite de mon père ne s'est pas bien passée. Il a voulu me faire la morale. Il veut m'apprendre à vivre. Que je sois raisonnable. Trop tard papa. C'est avant qu'il fallait se soucier de Teddy. Teddy n'est plus. Eduard sera le premier homme à voler de ses propres ailes.

3

Elle les voit réunis peut-être pour la dernière fois, son fils, son ex-mari. Ils ont le regard rivé sur la partition de la *Sonate pour violon et piano n° 3* de Brahms. Elle tourne une à une les pages de la partition. Albert se tient à la droite d'Eduard. Un même éclat brille au fond de leurs yeux. Les mains de l'un suivent les gestes de l'autre. Parfois le père s'arrête pour laisser son fils tout à son solo, puis c'est le fils qui s'incline et laisse la part belle au père. Et voilà, ils jouent la même partition. Ils communient, ils sont ensemble, on croirait que Brahms a composé cette musique pour eux.

Elle pressent que c'est leur dernier concert, l'ultime rencontre que le destin leur offre. Cette sonate est leur chant du cygne. Ça y est, le final est terminé. Le père lève son archet. Les mains du fils demeurent en l'air. Le silence emplit la pièce. Elle se retient de les prendre tous les deux dans ses bras, de les embrasser. La petite assistance applaudit. Eduard salue et se retire.

Les invités sont partis. Elle se retrouve seule avec son ex-mari. Eduard est dans sa chambre.

On ne l'entend plus. La question de ce soudain silence l'effleure. Elle s'interdit en cet instant de songer au pire. Elle regarde son ex-mari remettre son violon dans son étui, poser délicatement l'archet. Le violon fera le voyage avec lui en Amérique.

Elle éprouve une impression semblable à celle ressentie lorsqu'elle avait quitté Berlin en 1914. Avec cet homme qu'elle considère depuis longtemps au mieux comme un étranger, au pire comme un ennemi, elle a eu trois enfants, partagé des années de bonheur. C'est sans doute la dernière fois qu'elle le voit. Leurs regards ne se sont pas encore croisés. Ils ne se sont pas dit un mot. Elle finit de ranger les bouteilles et les verres.

« C'était une belle soirée, lance-t-elle. Je crois que tout le monde est reparti heureux. Héléna était tellement ravie de te revoir. Après tout, elle t'a connu avant moi. Vous auriez fait un beau couple tous les deux quand nous avions vingt ans. Bien mieux que la petite boiteuse et le grand génie. »

Il n'aime pas l'entendre parler ainsi. Il dit qu'eux deux formaient le plus beau des couples.

« Tu vas m'en vouloir, mais j'ai gardé toutes les lettres de ce temps-là. Ne t'en fais pas, je les brûlerai comme je l'ai promis. Je les connais par cœur, maintenant... Mon cher amour, autant mon vieux Zurich me donne l'impression d'être de retour à la maison, autant tu me manques, mon amour, ma tendre main droite. Où que j'aille ma place n'est nulle part, et la douceur de tes deux bras... »

Il l'interrompt :

« Ton petit minois resplendissant de tendresse et de baisers me manque.

— Cette lettre-là date du 3 août 1900. Tu imagines, cela fait trente ans. Nous étions à Berne dans notre petite chambre de la Gerechtigkeitsgasse... À peine l'eau courante. Mais tout semblait si facile. C'était comme si la grâce était tombée sur notre chambre. Toi, tu vivais dans un état de fièvre. Tu parlais tout seul. Ou tu t'adressais à Newton affirmant qu'il avait tort, tu expliquais à Galilée ce qu'il n'avait pas compris. Je t'observais à ton bureau. Tu prenais une feuille et un stylo-plume, et la feuille se noircissait sans le moindre effort. L'encre suivait le fil de ta pensée. Le plus étonnant était la certitude que tu avais d'accomplir quelque chose d'immense. J'étais allée porter le courrier que tu avais écrit à ton ami Habicht – tu ne voulais même plus quitter la chambre de peur que quelque chose ne t'échappe. Habicht avait lu ta missive devant moi, il avait éclaté de rire. »

Il se remémore la lettre :

Cher ami, je vous promets quatre travaux dont je pourrai vous envoyer prochainement le premier. Il est question du rayonnement et de la lumière d'une façon tout à fait révolutionnaire. Le quatrième est encore à l'état d'ébauche ; il s'agit d'une électrodynamique des corps en mouvement qui repose sur des modifications de la théorie de l'espace et du temps.

« Toi, Albert Einstein, vingt-quatre ans, tu allais révéler au monde ce qu'étaient l'espace et le temps. Et tu avais raison !... Et moi non plus, je n'ai jamais douté. »

Il savait. Elle lui avait été si précieuse. Oui, sa tendre main droite. Il entendait sa démarche dans l'escalier, et alors qu'elle déposait quelque sac de provision, essoufflée, il promettait que bientôt ils déménageraient. Un jour, assurait-il, j'obtiendrai le Nobel et je t'offrirai tout l'argent du prix !

« Tu as tenu promesse... » Elle laisse passer un temps et lance, plus gravement : « Qu'est-ce qui nous a conduit là ? C'est ma faute, n'est-ce pas ? J'aurais dû rester avec toi à Berlin. J'aurais dû me battre pour toi. Et puis, parfois je songe à ce qu'aurait été notre vie si Lieserl avait été parmi nous. »

Il n'aime pas qu'on rappelle le souvenir de Lieserl. Il ne veut pas réveiller les morts.

« Je suis allée fleurir sa tombe, il y a un mois. Au village, ils en prennent soin. Chez nous, on dit que l'âme des enfants veille sur les autres tombes, on dit que c'est un ange. Souvent, je pense que Dieu m'a punie de l'avoir abandonnée. Tu ne crois pas que Dieu nous punit de nos fautes ? Sinon pourquoi tout ce malheur qui s'abat sur nous ? Pourquoi Eduard... ? Excuse-moi, dit-elle en essuyant ses larmes. Tu pars pour longtemps ? »

Il ne peut répondre avec exactitude. Il pressent que ce sera long. Des mois, sans doute des années s'écouleront avant qu'il remette les pieds en Allemagne. Rien dans la situation actuelle ne laisse augurer la moindre amélioration. Hitler n'est pas un oiseau de passage. Le peuple est derrière lui comme un seul homme. La jeunesse jette les livres au feu. En six mois, l'Allemagne a plus changé qu'en un siècle.

« À Zurich, tu es chez toi. Tu seras toujours chez toi. Tu peux même venir avec Elsa. »

Il remercie. Elle s'est toujours montrée si accueillante. Jamais le lien n'a été totalement rompu.

« Maintenant, dit-elle, il est l'heure d'aller dire adieu à ton fils. »

Mon père va vouloir entrer dans ma chambre et me parler, je le sais. Je suis quelqu'un de très intuitif. Einstein va ouvrir la porte et apparaître. Je ne veux pas qu'il apparaisse. Dommage que je n'aie pas le pouvoir de faire que la porte ne s'ouvre pas. J'ai de nombreux pouvoirs, pas celui-là. Un jour, je posséderai celui-là. Un jour, j'aurai tous les pouvoirs. Je serai comme mon père. Ce que je peux, en revanche, c'est me transformer en chien. Je me métamorphose à ma demande. En entrant, Einstein verra un chien allongé sur le lit. Il ne sera pas surpris. Rien ne parvient à le surprendre. Il refermera la porte. Le tour sera joué. Je ne lui aurai pas parlé. Je refuse de lui adresser la parole. Il a commis une faute grave. Un crime de lèse-majesté envers son propre fils. Dans le deuxième mouvement, Einstein a oublié un *do* dièse. Comment peut-on oublier un *do* dièse ? Il a fait exprès afin que je me trompe. Et il a réussi son coup. Il ne supporte pas que je sois à la hauteur. Il craint les rivalités. Il souffre d'une intelligence supérieure. Pendant toute la fin du deuxième mouvement, j'ai eu un temps de retard. L'assistance s'en est aperçue. Elle a ri sous cape, je l'ai bien vu. On se moque toujours de moi quand mon père est là. À lui, les hourras, à moi, les sarcasmes. Je laverai l'affront. Si la porte s'ouvre, le chien lui sautera à la gorge. Eduard n'est pas le gentil garçon qu'on croit. Je peux me comporter en bête sauvage quand on me provoque. Non, finalement je vais conserver une apparence humaine. Je ne veux pas qu'il devine mes pouvoirs magiques. Il risque de me les dérober. Cet homme est un usurpateur. Pourquoi pensez-vous que les Allemands le détestent par-dessus tout ? Il n'y a pas de fumée sans flamme. Les Allemands ne peuvent pas se tromper sur tout. Un jour, je me transformerai en Allemand pour briser les vitrines des magasins juifs et molester les pieux vieillards. Les Allemands ont tous les pouvoirs. Ils sont arrivés à faire fuir mon père de chez eux. Mais ils ne me laisseront pas devenir allemand. Ils sont très à cheval sur les origines. Je vais devoir rester moi-même. C'est peut-être mieux ainsi. Einstein va trouver son fils en travers de la route.

4

Il frappe à la porte de la chambre d'Eduard et n'obtient aucune réponse. Il tente à nouveau. Rien. Il tourne la poignée, jette un regard. La pièce est éclairée seulement par les réverbères de la rue. Par la fenêtre entrouverte s'engouffre un vent léger. Eduard est assis sur le lit, une cigarette entre les doigts, contemplant la fumée sortant de ses lèvres. Les ombres projetées par le rideau dansent sur les murs.

« Quelqu'un t'a-t-il dit d'entrer ? » demande Eduard.

La pénombre jette sur le visage de son fils une grimace à faire frémir. Un grand rire éclate dans le noir. Il ne reconnaît pas ce rire. Dans la chambre règne une odeur poisseuse. Il a l'impression de glisser dans un lieu peuplé de mauvais songes. Il finit par demander s'il peut entrer.

« Tu dois avoir une autorisation. »

Il n'ose pas avancer d'un pas. Il remarque placardé au-dessus du lit l'immense portrait de Freud auquel le garçon voue une véritable vénération. De petites photographies pornographiques sont clouées çà et là. Le sol est jonché d'un mélange de vêtements et de livres. Il en reconnaît certains empruntés à sa bibliothèque, Kant, Schopenhauer, Goethe.

« Est-ce que tu as vu quelqu'un pour te délivrer la permission ? Il faut connaître les bonnes personnes. Ma mère est l'une d'entre elles. As-tu demandé à ma mère ? Elle est habilitée. Si elle t'a accordé le visa, entre. »

Il obtempère.

« Tu vois, ce n'est pas compliqué. Pour un séjour prolongé, c'est plus difficile. Je suis tracassé administrativement. Mais pour une visite unique, on facilite les choses. Pas de paperasses inutiles, pas de palabres. Tout cela reste très humain. Même si la familiarité n'est jamais bienvenue, comme la colère ou la rancœur. Mais tu ne t'es jamais montré très familier ou je ne me souviens plus. »

Il tente de taire ses angoisses et ses craintes. Il rassemble ses idées. C'est son fils, là, en face de lui, son fils méconnaissable, endurci par l'épreuve. Pendant le temps qu'ils jouaient Brahms, il avait vécu dans l'illusion d'avoir retrouvé son garçon. Une forme de grâce familière émanait d'Eduard quand ses mains virevoltaient au-dessus du piano. L'harmonie régnait entre eux. Désormais, une touche d'orgueil déforme ce visage. Un sourire douloureux gâte cette figure.

« Y a-t-il quelque chose que tu attendes de moi ou est-ce une simple visite de courtoisie ? »

Il aimerait aller étreindre Eduard, le secouer doucement, et, dans un mouvement, lui faire retrouver ses esprits. Hélas, ses grands yeux paraissent comme éteints. Et son esprit semble insensible à la plus simple accolade. Quelque chose est ancré dans l'âme de son fils, accroché au plus profond, une vérité redoutable où plus rien ne se révèle ni de doux ni de calme.

« Y a-t-il une arrière-pensée à ta visite ? Je me méfie, tu sais. Je préfère ne pas me retourner sur les conséquences de mes actes. Songer au passé ne mène à rien de bon. L'idéal à mon avis serait de regarder la vie sans aucun désir. La plus grande fable que l'on ait inventée est celle de la connaissance. Ce n'est pas à toi que je vais apprendre cela. Ah, j'ai entendu dire que tu partais en Amérique. C'est cela, n'est-ce pas, tu pars en Amérique ? Je déteste les Américains. Je les vois se pavaner sur les terrasses des cafés avec leurs liasses de dollars. Ils hurlent, se croient partout chez eux alors que c'est le contraire. J'ai aussi décidé d'arrêter avec l'idée de poursuivre les études de médecine. J'ai rencontré les psychiatres. Ce sont des ignorants prétentieux. Ils croient avoir la science infuse. Moi j'ai la conscience confuse. J'en connais plus qu'eux sur ma question. Ils mettent des mots compliqués sur des choses simples. Tu te souviens peut-être qu'ils m'ont enfermé comme si j'étais fou. Tu ne crois pas que je sois fou, n'est-ce pas ? D'autres le croient. Je le vois à leur regard quand je parle aux loups à la nuit tombée. Tu vas dormir ici, ce soir ? Alors toi aussi, tu devras te méfier. Les hurlements vont te gêner. Veux-tu que je te prête la règle métallique qui protège quand on la glisse sous l'oreiller ? Je peux m'en passer pour une nuit. Tu es mon père, après tout. Je te dois obéissance et respect. Tu me rendras la monnaie de la règle ? Je ne suis pas là pour te faire la leçon mais on raconte beaucoup de mauvaises choses à ton encontre dans la presse allemande qu'on lit ici. Lorsque maman est énervée contre toi, elle prétend que tu n'as que ce que tu mérites. Elle est un peu rancunière, tu connais ma mère. Tu n'avais qu'à pas aller vivre à Berlin alors que Zurich est une ville si calme même pour vous les juifs, si seulement il n'y avait pas ces maudits loups. Est-ce que l'on a toujours ce que l'on mérite ? Personnellement, je n'ai rien fait de mal qui puisse me justifier. Je ne suis pas comme toi. Toi, tu as un destin. Personne n'empruntera ta voie. Tandis que moi, j'ai l'impression qu'ils sont plusieurs. Rien n'est vraiment tracé. Je crois me souvenir qu'un jour quand j'étais petit garçon tu m'as abandonné au beau milieu d'une forêt et qu'une bête sauvage m'a ramené dans ses crocs à la maison. Je ne t'en veux pas personnellement. Je sais que tu es un peu distrait. L'essentiel est d'être ramené à son domicile. Je ne suis pas très attaché à la manière, ni aux grands principes du moment qu'on me raccompagne en lieu sûr. Je suis souple d'esprit, n'en déplaise aux médecins... Tu as fait une fausse note dans la *Sonate* de Brahms au deuxième mouvement. Tu as oublié un *do* dièse. As-tu fait exprès pour me déconcentrer ou est-ce Brahms qui s'est trompé ? Je suis devenu indulgent, tu sais. J'ai beaucoup retenu de l'expérience. Je peux tout entendre de toi. »

Il aimerait poser une question, quelque chose qui lui tient à cœur et qu'il n'a pas encore osé lui demander. Il ignore si c'est une bonne idée. Cela vaut la peine d'y réfléchir. Demain il sera trop tard. Alors, voilà, pourrait-on songer, ensemble, au fait d'aller tous les deux en Amérique ?

« Que j'aille avec toi en Amérique ? »

Le départ est prévu dans une semaine. On a tout le temps de préparer ses affaires. Il ne l'a pas prévenu avant parce qu'il jugeait tout cela compliqué, cette longue traversée. Maintenant qu'ils sont face à face, cela semble une évidence. On va partir ensemble, prendre le bateau et s'installer à Princeton. Au début bien sûr, on sera un peu dans le provisoire. Mais à vingt ans, on se moque du provisoire, n'est-ce pas ? Et puis on ira se promener sur un voilier qu'il achètera là-bas, il y a un petit lac près de Princeton. On voguera comme avant, tous les deux, capitaine Tete. On rentrera à terre et on trouvera un petit restaurant où se repaître de bons poissons. Alors, qu'en penses-tu, Eduard ?

« T'accompagner ? Plutôt crever ! »

5

Elle le suit du regard depuis le balcon. Il marche d'un pas rapide, dans la rue déserte. Le soleil à peine levé projette une ombre derrière lui. Il approche du carrefour. Elle espère un instant qu'il se retourne, lève la tête en sa direction, lance un au revoir de la main. Il prend à droite au coin de la rue. Elle ressent un pincement au cœur. Elle devine qu'elle ne reverra pas cet homme, le seul qu'elle ait connu, aimé comme personne, haï autant qu'il est possible. Elle recherche sa silhouette entre les immeubles. Elle n'aperçoit personne. Elle promène son regard au-dessus des toits. Un soleil pâle brille. Le lac resplendit. Ce sera une belle journée.

Elle rentre, ferme la fenêtre, traverse le salon, se dirige vers la chambre d'Eduard, entrouvre, voit son fils allongé, les paupières closes, dormant à même le sol, au milieu des livres et des vêtements. Elle n'a pas le droit de ranger ce qui est par terre. Son regard est attiré par les photographies pornographiques au mur. Elle doit tout endurer en silence. Elle referme. Surtout ne pas le réveiller.

Elle se dirige vers la grande armoire du salon, tire la boîte à chaussures rangée dans l'étagère du bas, s'assoit, ôte le couvercle, tire une enveloppe de la pile de lettres. C'est sa manière à elle d'apaiser le chagrin en glanant au hasard quelques minutes des jours heureux. Elle contemple l'enveloppe, lit la date sur le timbre. Nous sommes en 1900, en été, au mois d'août. Elle déplie la lettre. Elle entend soudain une voix qui lui parle, murmure à son oreille.

Jeudi 19 août 1900, Zurich,

Mileva, mon cher amour, tu n'en reviens pas, n'est-ce pas de me voir réapparaître si tôt ! J'utilise le moindre prétexte pour échapper à l'ennui qui est autour de moi. J'ai bien du mal à attendre le moment où je pourrai de nouveau vivre avec toi et te serrer contre mon cœur. Et tout heureux, nous travaillerons d'arrache-pied et nous aurons de l'argent à la pelle. Et s'il fait beau au printemps prochain, nous irons chercher des fleurs à Melchthal.

Ton Albert.

Elle voyage trente-trois ans en arrière. Les propos du jeune homme la rendent légère, joyeuse. Personne auparavant ne lui a parlé ainsi. Elle porte la lettre à son visage, inspire profondément puis plonge à nouveau la main dans la boîte. L'été 1900 est terminé. Nous voilà fin septembre.

Tu es mon seul espoir, ma chérie, mon âme fidèle. Si je ne pouvais penser à toi, je n'aurais pas le cœur à vivre au milieu de cette triste humanité. Je suis fier de t'avoir, toi et ton amour me rendent heureux. Je le serai deux fois plus quand je pourrai te serrer sur mon cœur, voir tes yeux amoureux qui ne brillent que pour moi et embrasser ta chère bouche qui pour moi seul a frémi de plaisir.

Pour étudier l'effet Thomson, j'ai eu de nouveau recours à une autre méthode qui ressemble à la tienne, pour déterminer comment K dépend de T, ce qui présuppose aussi une telle recherche. Si seulement nous pouvions commencer dès demain ! Nous essaierons à tout prix de nous mettre au mieux avec Weber. C'est son laboratoire qui est quand même le meilleur et le mieux équipé.

Je t'embrasse,
Ton Albert.

Encore ! commande son cœur. Elle veut que se prolongent les effluves du passé. Se croire belle, aimée. Croquer à pleine bouche dans ces heures radieuses. Qu'un trait de plume efface trente années de disette. Entendre chuchoter les serments éternels. Elle veut avoir vingt ans quand elle en a cinquante. Qu'hier soit pour un instant la vérité du jour.

Un poème maintenant, le seul reçu. Le seul peut-être jamais écrit de la main d'Einstein.

Ma toute douce,
Chanson paysanne
Aïe, aïe, le Johonzel,
Il est vraiment tout fou.
Croyant que c'est sa Doxerl,

Serre l'oreiller, le fou.
Si mon amour me boude,
Me voilà bien marri,
Mais ses épaules, elle bouge,
C'est pas grave elle me dit.
Mes parents eux ils pensent,
Que ça n'a pas de sens...
Mais mot ne doivent souffler
Sinon seraient rossés.
Ma Doxerl, son p'tit bec,
J'aimerais bien l'entendre,
Puis joyeusement avec
Le mien lui fermer tendre.

Elle redoute de rester sur une bonne impression. Elle se saisit de la lettre dans l'enveloppe noire. Elle avait changé l'enveloppe, comme une marque de deuil. La lettre avait été envoyée par Einstein à leur amie commune Héléna.

8 septembre 1916, Berlin
Notre séparation est une question de survie. Notre vie commune est devenue impossible et même déprimante. Pourquoi ? Je ne peux pas l'exprimer. Aussi ai-je abandonné mes garçons, que, malgré tout, j'aime tendrement. À mon plus profond regret, j'ai remarqué qu'ils ne comprennent pas le chemin que j'ai pris et gardent envers moi une sorte de rancune. Je trouve, bien que ce soit douloureux, qu'il vaut mieux, pour leur père, de ne plus les voir. Je serai satisfait s'ils deviennent des hommes honnêtes et estimés car ils sont doués et hormis le fait que je n'ai exercé

et n'exercerai aucune influence sur leur éduca-
tion.

Malgré tout, Mileva est et restera toujours
pour moi une partie amputée de moi-même. Je
ne me rapprocherai plus d'elle. J'achèverai mes
jours sans elle.

Elle entend grincer le parquet. Elle range les
lettres à la va-vite, glisse la boîte sous le canapé.
Son fils paraît à la porte du salon. Il est nu. Elle
s'efforce de ne pas détourner le regard, de le
regarder droit dans les yeux.

« Sais-tu, demande Eduard, où est rangée la
règle en fer que je place toujours sous l'oreiller ?
Les hurlements des loups m'empêchent de dormir. »

PRINCETON – HELDENPLATZ

1

Il remonte Mercer Street sous le soleil encore bas du ciel de Princeton. Une forme de puissance et de sérénité se dégage des demeures à la beauté rustique, l'illusion d'un monde en paix. Il pense à l'enchaînement de hasards et de coups du destin qui l'ont conduit loin du chaos, comme coupé du monde, jusqu'ici, en ce mois de décembre 1935. Un vol de canards traverse le ciel en direction du lac en contrebas. Droit devant, la rue semble se prolonger à l'infini. Il prend par Jones Street et entame la traversée du parc que surplombe le bâtiment de style néogothique de l'Alexander Hall où, le mardi, il anime des conférences. Il descend une allée sinueuse plantée d'arbres dont les feuilles forment des sortes d'étangs orangés en cette fin d'automne.

Il croise un groupe d'étudiants qui ne font pas cas de sa présence. Quelques éclats de rire se font entendre. Se peut-il qu'en un même instant, de part et d'autre d'un océan, une même jeunesse brûle, ici, des cigarettes, là, des livres ? Il songe à ce qu'il adviendra de ces jeunes Américains-là, à l'air naïf, au visage radieux, lorsqu'ils se retrouveront, combattant face à la jeunesse allemande préparée à la lutte, avide de sang et de pureté raciale. Puisqu'il y aura la guerre. Il en est convaincu. Le seul espoir d'Albert Einstein repose dans ce conflit. Voilà ce que les Allemands ont fait du chantre du pacifisme, un pousse-au-crime.

Il dépasse un peu plus loin deux garçons, l'un tenant une batte de base-ball, l'autre, sa main gantée, s'apprêtant à lancer. Deux ans qu'il vit en Amérique et ce spectacle continue de l'éblouir. Il poursuit son chemin. Un vent léger soulève les feuilles. Il parvient sur une rive du lac Carnegie, s'assoit sur un banc et contemple les eaux calmes où, de temps à autre, un groupe de rameurs, le capitaine donnant le rythme avec son mégaphone, vient rompre le silence. Le miroitement des vaguelettes laissées par le passage de l'embarcation fait de petits scintillements. Puis tout redevient paisible. Une famille de canards fend les flots.

Depuis déjà quelques mois, il a l'impression de faire partie du paysage. Sa maison du 112 n'est plus un lieu d'attraction. Seuls ses amis lui rendent encore visite. On lui demande d'intervenir pour faciliter l'entrée aux États-Unis des exilés d'Allemagne. Ses tentatives pour organiser la protection des juifs allemands se soldent par des échecs. Il était parvenu à convaincre un membre de la Chambre des députés britannique de proposer une motion visant à ce que l'Angleterre accueille les savants juifs exclus et menacés. Quelques représentants seulement ont voté sa motion. Tous les deux ou trois jours, un journaliste l'intervieve, l'interroge sur la situation en

Allemagne. Pourquoi appelez-vous à boycotter les Jeux olympiques de Berlin ? La situation des juifs est-elle aussi terrible qu'on le prétend ? Et maintenant, avant la poursuite de notre émission avec le professeur Albert Einstein, Mlle Audrey Memphis va nous vanter les mérites de la crème Luxe, à vous Audrey.

Nul ne sort plus vivant de Dachau. Connaîtrons-nous pire temps que l'année 1935 ? On peut nous faire avoir faim, a clamé le Haut Conseil juif de Berlin, on ne pourra pas nous faire mourir de faim.

En novembre, lors du Congrès de Nuremberg, la « loi pour la protection du sang et de l'honneur allemand » a été promulguée. Le texte a légiféré sur qui est de race aryenne, qui est de race juive. Les Allemands ont inventé le concept d'une troisième race, l'individu « métissé de juif », le *Meschlinge*. Est défini comme *Meschlinge* au premier degré tout individu ayant deux grands-parents juifs et ne s'étant pas déclaré de confession judaïque et n'ayant pas de conjoint juif à la date du 15 septembre 1935. Est déclaré *Meschlinge* au second degré toute personne ayant seulement un grand-parent juif. Dans l'esprit de la loi, les *Meschlinge* ont une part de germanité qui leur permet d'appartenir à la nation allemande et contrecarre à hauteur de leur degré, l'influence néfaste de leur part juive.

Hans-Albert et Eduard Einstein sont des *Meschlinge* au premier degré.

On raconte que des agents du FBI rôdent sur Mercer Street autour du 112. Edgar Hoover, le nouvel homme fort de l'Agence, serait convaincu qu'Einstein est un agent à la solde de Moscou. Son visa provisoire ne le protège pas d'une expulsion. Ses appels au pacifisme, sa critique du système capitaliste, ses sympathies socialistes, son engagement en faveur des Noirs américains plaident en sa défaveur. Des groupes américains rêvent toujours de le voir renvoyer en Allemagne.

Il remonte par Baker Street, reprend Mercer Street, arrive au 112, pénètre dans le petit jardin, monte les quelques marches du perron, tourne la clé dans la serrure, traverse le vestibule, entre dans le grand salon où sont disposés les quelques meubles Biedermeier sauvés de l'appartement de Berlin. Tout le reste, les sabres, les bibelots, les cadeaux des princes et des ministres qui l'ont reçu et honoré par le monde a été saccagé ou volé par les SS. Une voix faible, chevrotante demande si c'est bien lui. Il ouvre la porte de la chambre. Elsa est assise, son bras gauche pendant, son œil droit à demi fermé. Elle a été terrassée peu de temps auparavant par une attaque cérébrale. Un peu d'écume salit le coin de ses lèvres. L'infirmière de jour doit être un peu en retard. Elsa ébauche un sourire. Il s'assoit au bord du lit, se saisit d'un mouchoir, essuie les commissures. Il dépose un baiser sur son front, dit qu'il fait beau dehors. Quelques mots s'échappent de la bouche de son épouse. Il croit comprendre que Michele Besso a appelé, ce matin, qu'Elsa a eu la force de décrocher, pas celle de poursuivre une conversation. Il répond qu'il rappellera Michele plus tard. Il demeure un instant au chevet d'Elsa. Il croise du regard l'urne de métal disposée près du lit et qui renferme les cendres d'Ilse. La fille d'Elsa est décédée un an plus tôt à Paris, à l'âge de trente ans, de la tuberculose. Elsa veut conserver l'illusion de garder sa fille auprès d'elle. Il a renoncé à enterrer l'urne dans le jardin.

Il étreint sa main, quitte la pièce, se dirige vers son bureau. C'est la deuxième fois que Michele Besso téléphone. D'ordinaire son ami n'appelle pas. Il écrit de longues lettres. Michele Besso est le point fixe de son existence. Michele, demeuré à Berne, continue de rendre régulièrement visite à Eduard. Michele assiste Mileva. Michele donne dans ses lettres des nouvelles, délivre des conseils. Il y a un seul courrier de Michele auquel il n'a pas répondu.

Berne,
De ma cellule monacale parmi les hommes
Mon cher et vieil ami,
En regardant autour de soi, on voit partout de la souffrance. Même à l'homme le plus puissant il n'est pas donné de soulager toutes les souffrances qu'il découvre et il doit se fixer des bornes. S'il veut être en paix avec sa conscience, deux chemins s'ouvrent à lui : celui de l'enfant, qui se laisse guider par l'instant, verse des pleurs et vit la joie de l'instant sans mélange et entièrement. Ou celui de l'adulte, qui, arrivé à l'âge des responsabilités et de la force créatrice, frappé par une image de la construction à laquelle il travaille, y consacre toutes ses forces et qui dans l'accomplissement du projet auquel ses sacrifices ont donné du sérieux découvre un nouveau monde devant lui.

C'est pourquoi j'ai de l'affection pour ton fils Eduard. Quels sont les liens qui nous unissent ? Ma jeunesse et la tienne, l'époque où ton génie t'apportait des trouvailles par brassées dont il te fallait, avec effort et ténacité, extraire celle qui était valable, et la joie pure que j'en ressentais, et mes objections sans nombre, les peines d'autres semblables aux miennes, la situation difficile à côté d'un père célèbre, la désunion sous nos yeux et qui nous tourmente si profondément. Et la destinée dont mes efforts sincères pour ta paix et celle de Mileva ont fini par faire l'agent de votre séparation.

Quoi qu'il en soit ces liens entre Eduard et moi existent. Or on pourrait dire : il a un père extraordinaire, une mère vaillante, il est doué et sympathique, bien que renfermé comme certains jeunes, il a un brave camarade, qui lui est dévoué – et même un vieil ami qui le comprend ; il a aussi reçu la préparation nécessaire pour un bon métier de son choix. Tel est, ou pourrait être la bonne voie. Encore faut-il que le nœud à la gorge qu'il est en train de défaire patiemment et avec prudence puisse être défait.

Ton fils me disait : « J'ai de la peine à achever un travail imposé. Mon père doit éprouver un sentiment analogue lorsqu'il donne un cours sans grand plaisir. »

Prends ton fils avec toi lors de l'un de tes grands voyages. Quand tu lui auras consacré le temps libre de six mois de ta vie, tu finiras par supporter (et comprendre) chez lui bien des choses que nous n'admettons pas chez d'autres – puisqu'on voit autrement de près que de loin ;

alors vous saurez une fois pour toutes ce qui
vous unit et, ou je me trompe fort, la voie sera
ouverte à ton fils, par cette occasion, pour un
complet épanouissement de sa personnalité.

Cher ami, pardonne à ton vieil ami Besso.

Il se saisit du combiné, demande à l'opératrice
le 25 768 à Berne. Après un long grésillement la
sonnerie retentit. La voix de Michele se fait
entendre. S'ensuivent quelques formules d'usage,
demandes de nouvelles d'Elsa, comment se
déroule la vie à Princeton, comment avancent les
travaux de cosmologie, réflexions sur l'évolution
des persécutions antijuives en Europe. Michele
s'interrompt et lance :

« Il faut que tu saches pour Eduard. Son état
s'est aggravé de façon inquiétante. Je ne rentrerai
pas dans les détails, je sais combien cela est douloureux pour toi. Je sais que tu gardes silencieuse
ta peine, que tu tais ton chagrin. J'ai appris au
fil du temps que pour toi, tout cela était inéluc-
table. Cela n'enlève rien à ta détresse, la rend
plus insupportable. Mais je dois t'informer que
quelque chose d'important est arrivé. Mileva a
décidé sur les conseils de Minkel de conduire
Eduard à Vienne. Elle a choisi cela seule. Elle
dit qu'avec la distance, tu n'es pas à même de
juger de l'état de ton fils. Elle ne voulait pas que
je t'en parle avant que cela soit fait. Elle ne voulait pas que tu t'opposes. Tu connais la cure de
Sakel, n'est-ce pas ? Nous en avons déjà parlé.
Eh bien ils vont tenter ce traitement-là. Je sais
que c'est une décision grave. Peut-être l'état
d'Eduard l'exige-t-il ? Mais peut-être le risque

n'est-il pas à la hauteur des enjeux ? Sans doute, la technique n'en est qu'à ses prémices. Quoi qu'il en soit, il est trop tard. Le bien ou le mal est fait. Mileva et ton fils partiront demain à Vienne, et nous n'y pouvons rien. Aucun télégramme ne les arrêtera sur la route de la clinique du docteur Sakel. Aucune lettre ne leur parviendra. Albert, je voulais te prévenir. »

Il remercie, salue, raccroche.

Il songe à son fils perdu sur l'Heldenplatz. Il imagine le lot de tourments qui lui sera infligé. Il se dit que le sort en est jeté.

Je crois que l'on veut me faire disparaître à Vienne. Je dispose de preuves accablantes. Mais alerter les autorités serait se jeter dans la gueule du loup. On m'a dit que j'allais devoir voyager pour mon bien. Depuis quand veut-on mon bien ici ? Depuis quand l'Autriche est-elle bonne pour la santé ? Il paraît qu'un nouveau traitement m'attend. Je le répète depuis cinq ans : je n'ai besoin d'aucun traitement. Je ne suis pas malade. On se trompe sur mon sort. On commet une erreur médicale doublée d'une erreur judiciaire. Cinq ans ici m'ont terriblement altéré. Et je ne parle pas seulement de ma conscience. Physiquement, ma propre mère a du mal à me reconnaître. Elle me l'a avoué quand je lui ai demandé si j'avais toujours été ainsi. Elle a laissé échapper un « non, pas toujours ainsi ». C'est la preuve qu'on me transforme avant de me faire disparaître.

On m'a enjoint de faire ma valise. Ranger mes affaires et plier mes vêtements. Je suis sûr qu'ils vont me noyer dans le Danube. Je ne les laisserai pas ! Je veux disparaître de mon plein gré ! Je vais devoir prendre le train. Je vais croiser des étrangers. Les étrangers vont me dévisager. On me dévisage toujours quand on est étranger. Être étranger ne confère pas tous les droits ! J'interdis qu'on me dévisage. Voilà pourquoi je préfère changer de visage. Je prends de drôles de formes pour que personne ne me reconnaisse. Hélas les gens disposent de pouvoirs magiques. Ils arrivent malgré tout à me voir. Même si je me suis rendu invisible. Même si je me suis transformé en chien comme cela m'arrive quelquefois. Ils me nomment du doigt. Ils me parlent comme si j'avais gardé mon apparence humaine alors que je sais bien que la transformation a eu lieu. J'aboie. Mes canines s'allongent. J'écume. Je suis un chien. Les étrangers ont des pouvoirs terrifiants. Ils sont capables de transformer un chien en homme. Je vais devoir traverser la frontière. Ils vont me faire disparaître derrière la frontière. Les frontières sont faites pour effacer les hommes. Et si je réussis à passer, ce sera pire encore. Je devrais affronter la colère des Autrichiens. Je ne connais rien de pire que les Autrichiens. Les Autrichiens sont nos ennemis héréditaires par ma mère. Ils vont savoir voir que je suis serbe. Ils ont ça dans le sang avec les Allemands. Les Aryens sont une race à part. Ils vont me regarder de haut, prendre leur air supérieur. Ils vont m'accuser d'avoir voulu participer à l'assassinat de leur archiduc François-Ferdinand. Et ils n'auront pas tort. Je l'aurais volontiers tué de mes mains. S'ils ne devinent pas que je suis serbe, ils vont prétendre que je suis juif par mon père. Ils détestent plus encore les juifs que les Serbes. Dans les deux cas, je suis un homme mort. J'ai l'impression de n'avoir pas vécu. C'est mon seul regret dans l'existence. Les Autrichiens vont lire à travers moi. Je sens que je deviens perméable. Mes os deviennent poreux. La dernière fois que j'ai tenté de me sectionner le poignet avec un couteau, le médecin m'a dit : tu vas finir par y arriver, tes poignets s'amincissent à force, ils ne cicatrisent plus. Je suis en train de pourrir. Je sens une odeur qui vient de l'intérieur, sort par mes narines et par ma bouche, une odeur intolérable. Je vois bien que cette odeur incommode. Depuis quelque temps, les gens conservent une certaine distance avec moi. Ce n'est pas par respect. Les gens ne me respectent pas, ni moi, ni rien, ni personne. C'est l'époque qui veut ça, et les gens aussi. Je crois avoir compris d'où provient cette odeur. Je pourris de l'intérieur depuis plusieurs mois. Les aliments ingurgités sont en voie de décomposition. Plus rien ne se métabolise. Le ventre est un autre cerveau. Mon ventre est aussi déglingué que mon lobe frontal. Lorsque je vois un de mes interlocuteurs s'éloigner, je comprends sa gêne. Je ferme la bouche, je retiens ma respiration de peur d'incommoder. Je n'y parviens jamais longtemps. J'ai besoin d'oxygène, je ne suis pas si différent des humains. Je possède aussi une âme. Mais dans ses tréfonds pullulent des rats. J'ai vingt-cinq ans, je devrais jouir, baiser, et pour une raison obscure rien ne m'est permis. Quelqu'un au-dessus de moi m'interdit l'existence normale. Y a-t-il une justice sur cette terre et quand agira-t-elle en ma faveur ? Pourrait-on me dire tout ce qui ne va pas, où cela a cloché, quand tout s'est déroulé, sous des regards absents, ou des éclats de voix, si j'ai accompli quelque chose que je n'aurais pas dû, si j'ai outre-passé mes droits, surestimé mes facultés, et sur-tout si on me tirera de ce mauvais pas ? Je préfère garder confiance, avoir l'illusion que l'on me prépare un voyage d'agrément, que le temps des Autrichiens est précieux, que les Viennois n'ont pas une minute à perdre avant de devenir nazis comme leurs frères de race allemande. Et même moi, je n'ai pas tout mon temps. Vingt-cinq ans, déjà, et je n'ai rien accompli. Quand on sait ce qu'avait réalisé mon père à mon âge. Je n'ai même pas pu obtenir les titres de docteur, médecin, psychiatre, guérisseur des âmes. Comme seul titre, je dispose de mon nom, c'est peu et beaucoup à la fois. Il paraît que les gens paient pour une particule, moi, je donnerais ma vie pour changer d'héritage. J'endure tellement d'épreuves que j'irai jusqu'à Vienne pour abréger ma souffrance. Je suivrai les conseils du docteur Minkel. Peut-être qu'il ne me veut pas tant de mal que cela. Peut-être qu'à Vienne ils disposent d'une pilule miracle. Je vais leur laisser une chance de me sauver. Chacun a droit à sa chance.

2

Elle marche dans les rues de la capitale autrichienne aux côtés de son fils. Ils sont le long du Ring. Elle fait du mieux qu'elle peut pour que sa boiterie n'entrave pas la promenade. Ils dépassent Burggarten. Elle se tient droite et fière. Seul le bruit de ses pas sur les pavés trahit son infirmité. Elle flâne près d'Eduard dans la ville splendide. L'étreinte de sa paume la ravit, lui donne du courage. De temps à autre un tramway les dépasse, fait sonner sa cloche. Parfois passent de grosses berlines à l'arrière desquelles des hommes fument des cigares. C'est la première fois qu'ils quittent Zurich depuis l'accident. Elle parle d'accident pour qualifier la catastrophe. Elle ne parvient plus à mettre d'autre mot sur ce qui est advenu. Le terme de maladie mentale lui écorche les lèvres. Il n'y a pas de fous chez les Maric. Des âmes oubliées dans leur solitude, des vies dévastées, oui. Des esprits dérangés, peut-être. Quelle existence s'accommoderait-elle du cortège de malheurs qui frappent sans faiblir, et depuis tant d'années ? Quel esprit sain plongé dans une telle boue ressortirait-il indemne ? Les Maric ne sont plus sensibles au mystère de la vie, à la beauté et au charme étrange du jour. Mais aujourd'hui est un jour différent des autres, une ère nouvelle s'ouvre, temps de la délivrance.

Ils parviennent sur la Michaelerplatz. Eduard ouvre de grands yeux, serre la main de sa mère. Tout semble suspendu à la beauté des lieux. Sur le visage d'Eduard se lit une joie sauvage, une pure extase qui éclate au grand jour. Les immenses bâtisses s'élevant triomphantes vers le ciel dégagé effacent toute forme de violence, dissipent tout désespoir.

Ce voyage sera bénéfique, le docteur l'a certifié. « Le jeu en vaut la chandelle », tels ont été ses mots. Le jeu et la chandelle. La vie enfouie resurgira. Voici venu le temps d'avant, dispensé de haine et de fureur. La longue avancée sur les routes obscures s'achève sur l'immémorial Ring. Ils ont connu la douleur infinie. Les pires souffrances ont une fin. Elle ne marchera plus seule, accablée, vers le sommet de la colline. Elle ne frappera plus à la grande porte du Burghölzli. Un autre temps commence. On vient changer d'époque. Ici souffle un nouvel air. Le vent léger soulève les robes des passantes, manque d'emporter leur chapeau. Voilà l'heure du salut.

Ils prennent par Kohlmarkt et comme le café Demel est noir de monde, ils poursuivent sur la Herrengasse. À l'angle avec la Strauchgasse ils s'arrêtent au Café Central.

Eduard se montre très sage. Il boit son chocolat, sans presque rien en renverser. Elle lui a essuyé le peu de crème sur son menton, il n'a pas bronché. Comme le matin même, à l'hôtel Hopfner, il n'avait pas bougé lorsqu'elle l'avait rasé. « Tu es sage, mon ange, il faut que tu sois beau pour l'occasion.

— Pourquoi n'irais-je pas chez le barbier ? On m'a dit que c'était un métier de raser les gens.

— Est-ce que je t'ai déjà blessé ? Une seule goutte de sang a-t-elle jamais coulé de ma main ?

— Tu as raison, inutile d'aller voir le barbier. D'ailleurs il pourrait me trancher la gorge si je fermais les yeux.

— Les gens ne sont pas si méchants.

— Je me méfie, tu sais. Il suffit d'un regard de travers.

— Tu ne fais jamais rien de travers, mon ange. »

Il a terminé sa Sachertorte. Il dit avoir encore faim. Elle rappelle la serveuse. La jeune femme s'avance, un large sourire aux lèvres. Son tablier décolleté laisse déborder sa poitrine. Elle redoute que son fils ne lance une remarque obscène. Elle commande un Kirschenstrudel. La jeune femme prend note, pose son regard sur Eduard et lance en sa direction :

« Il est beau, ce jeune homme. Il nous vient d'où ?

— De Zurich, dit-elle.

— C'est une belle ville.

— Très belle, assure-t-elle. »

La jeune fille est partie. Eduard garde les yeux fixés sur l'assiette vide devant lui. Elle caresse sa joue, demande s'il souhaiterait visiter le Prater. Il pourrait monter sur la Grande Roue et voir Vienne du ciel.

Une autre serveuse vient à leur table, apporte le gâteau. Eduard lève le regard vers elle et demande :

« Est-ce que la précédente jeune femme a peur de moi ? »

La serveuse fait un non inquiet de la tête et s'en va. Il dévore son Strudel, boit une longue rasade d'eau, puis se lève brutalement en s'écriant :

« Je suis prêt, allons-y !

— Nous avons tout le temps.

— Le temps presse ! Le docteur Minkel a affirmé que j'allais guérir. J'en ai assez d'être malade. Cela ne tiendrait qu'à moi, je ne souffrirais pas, ne ferais souffrir personne. J'aime bien cet endroit, tout est si somptueux, je n'ai jamais vu de tasses aussi belles, les cuillères en argent, cette hauteur de plafond, ces lustres. Cette ville est magique. Seuls les magiciens peuvent me guérir. »

Elle règle la note et se lève.

Ils sont à nouveau sur le Ring. Au loin, on aperçoit la Grande Roue du Prater. Il la fixe intensément. Son regard semble aimanté par le mouvement de la roue. On va devoir tourner à droite sur la Herrengasse et quitter cette perspective. Son pas ne suit pas. Il se dirige vers le parc. Elle le prend délicatement par le bras. Elle ne parvient pas à le faire dévier. C'est par là, dit-elle avec douceur. Il poursuit droit devant. Elle aimerait prévenir qu'ils n'ont pas le temps. On les attend à la clinique. Il a fallu deux mois pour avoir ce rendez-vous. Elle n'a pas le courage. Les mots ne viennent pas. Non, par ici, dit-il, je reconnais l'endroit où j'aimerais aller. Elle se laisse conduire. Elle valse avec son fils sur le Ring à Vienne, valse au milieu des grands réverbères dont certains s'allument bien qu'il fasse encore jour. Le jeu et la chandelle.

Sur Schottenring, au milieu des voitures, un fiacre attend. Le cheval pousse de petits hennissements, ses pattes font quelques piétinements sur le pavé. Le cocher, un haut-de-forme sur le crâne, crie en leur direction : « Un tour en calèche, mes princes ? » Eduard tourne vers elle un regard suppliant. Elle acquiesce. Il se précipite vers l'avant du véhicule. Il caresse la crinière du cheval, embrasse l'animal et s'assoit à l'avant, à côté du chauffeur. Elle se place à l'arrière. Eduard demande au cocher l'autorisation de prendre les rênes. Il essuie un refus, hausse les épaules. Il enjambe le siège et s'assoit à côté de sa mère, lui murmure à l'oreille :

« Cet homme a peur que le cheval ne me préfère à lui. Il a dû deviner que je connais le langage des bêtes.

— Les gens sont jaloux, répond-elle. Mais pas méchants. »

Il fixe d'un air émerveillé les édifices somptueux, les forêts de colonnades, les rideaux de cristal, le flot scintillant des fontaines, le reflet des murailles métalliques, bacchanales d'argent et de dorures, dont l'éclat fait briller ses yeux d'une lueur qu'elle croyait disparue. Résonnent l'écho grandiose des foules pressées sur les trottoirs, le flot des voitures qui les dépassent. Soudain c'est le calme, un immense voile de paix déposé sur une place un peu à l'écart qui laisse découvrir un autre palais dont la façade gigantesque lève un espoir insensé dans ses veines. Le cocher énonce les noms des lieux comme on jette des pièces d'or en l'air, ces noms résonnent, Volksgarten, Hoffburg. L'homme freine son fiacre, le gare du côté du trottoir. Il se redresse, leur indique l'endroit où regarder, un coin de place, là-bas, sur la Heldenplatz. Un grand silence règne, puis, sur le pavé, un grondement régulier enfle. Elle cherche la raison de l'attroupement. Un bruit de bottes retentit maintenant avec fracas. À quelques dizaines de mètres, un groupe d'hommes vêtus de chemises brunes défile au pas, sous des drapeaux à croix gammées, en hurlant des slogans. Eduard contemple la scène, un air étrange posé sur son visage. Le cortège dépasse le fiacre. Une petite foule l'accompagne.

« Alors, chère madame, reprend le cocher, nous continuons la promenade ? »

Elle dit qu'elle se sent un peu fatiguée. L'homme pourrait-il les conduire au numéro 3 de la Dumbastrasse ?

Le véhicule s'enfonce dans un dédale de rues. Elle enlace son fils par la taille. Le froid enveloppe leurs épaules. Les bâtisses ont perdu de leur splendeur. L'heure du crépuscule approche. Le cocher stoppe son véhicule. Le cheval hennit. C'est là, dit l'homme. Elle paie. Ils descendent, font quelques pas, se retrouvent devant le numéro 3 de la rue. C'est un petit immeuble de quatre étages, à la façade austère. Au-dessus du perron est inscrit sur une plaque « Clinique du docteur Sakel ». Vu de l'extérieur, l'endroit n'a rien d'une clinique. Ils poussent la double porte. Une pancarte indique que le secrétariat se trouve à l'étage. Ils gravissent les marches. Une jeune femme assise derrière son bureau leur sourit. Elle s'approche, dit qu'elle a rendez-vous avec le docteur Sakel, décline son identité. La jeune femme plonge dans un carnet, fait un mouvement d'acquiescement, lève les yeux. « Le médecin va vous recevoir. Seule, s'il vous plaît. » Elle demande à Eduard de patienter dans la salle. Il va se poster à la fenêtre. La secrétaire se dirige vers la porte du bureau du médecin, donne trois coups, ouvre et la fait entrer.

Elle se retrouve assise face à un homme en blouse blanche. L'homme se met à parler avec un accent qu'elle jurerait polonais.

« Je suis enchanté madame Einstein, et très honoré. J'ai croisé votre mari, à Berlin, il y a une dizaine d'années, à l'Institut où j'étais allé donner une conférence sur ma cure. Il a paru intéressé. Cet homme est curieux de tout. Il n'a pas peur des révolutions, et ma cure en est une. Laissez-moi vous en expliquer le principe. Vous êtes scientifique de formation. Je préfère m'adresser d'abord à votre intelligence, ensuite nous parlerons à votre cœur. L'idée de ma cure, la cure de Sakel, puisqu'on la nomme ainsi, m'est venue comme par miracle. Je travaillais sur le diabète. Un jour je remarquai combien les malades à qui j'administrais une très forte dose d'insuline sortaient confus, désorientés, perdaient tous leurs repères, oubliaient le passé. Des hommes tremblants, couverts de sueur, agités par l'excès d'hormone, mais des hommes neufs, comme sortant du ventre de leur mère, des hommes en souffrance, certes, et pourtant d'une écoute inouïe, qui semblaient boire mes paroles de réconfort.

Parfois l'excès d'insuline allait jusqu'à les plonger dans le coma. Et voilà le miracle : sortis de ce coma, ils se trouvaient dans un état d'effondrement psychique total, une sorte de sédation temporaire, un désert immense. Et, chère madame, dans le désert, nous bâtissons des mondes.

« Un de mes patients diabétiques souffrant également d'une maladie mentale reçut une forte dose d'insuline et tomba dans le coma. Lorsqu'il en sortit trois heures plus tard, ses idées morbides avaient disparu, son délire s'était éteint. Dans son psychisme en ruine, plus rien ne faisait obstacle à mes paroles, tandis qu'auparavant sa démence m'interdisait tout propos. Mon patient effondré, sa conscience dissoute, non seulement échappait à ses idées noires mais surtout devenait enfin apte à l'écoute. J'appelle cette période la phase de "maternage", quand le patient a retrouvé son psychisme d'enfant, vierge de toute maladie. Nous pouvons alors polir une âme neuve. On m'a pris bien entendu pour un charlatan, le Diable en personne, ont accusé certains. Sauf, chère madame, que les résultats sont là. Les malades ne sont plus les mêmes au sortir de ma cure. Oh, je n'aurais pas l'outrecuidance de prétendre qu'ils sont guéris. Toutefois, leur pulsion morbide a perdu de sa force. Et ne croyez pas que nous ayons fait d'eux des spectres. Non, madame, ma cure n'est pas une lobotomie. Ma cure apaise et soulage. Alors, vous me direz, où sont les risques ? Ai-je besoin de vous faire un dessin ? Bien entendu la plongée dans ce coma induit une angoisse terrible. Les patients perdent tout contrôle d'eux-mêmes. Leurs gestes et leur pensée sont en vrac. Ils sont pris de spasmes. Ils convulsent. Trois heures terribles à vivre. Mais ils en ont tant enduré. C'est un mal pour un bien. Il faut voir au-delà. Après que le corps a fini son calvaire, tiré de sa torpeur par l'injection de sucre, vous verrez comme l'âme revient apaisée. Alors notre travail peut commencer. Alors l'analyse peut jouer pleinement son rôle. La porte de la guérison est entrouverte. Évidemment, je ne peux vous le cacher, la camisole s'impose pour éviter les effets des fortes convulsions. Évidemment aussi, vous n'assisterez pas à la plongée dans le coma, c'est un spectacle insupportable. Vous ne verrez pas l'infirmier qui change les draps, les linges couverts de sueur et de larmes, ni les entraves aux pieds ni les poings liés, ni le mors aux dents pour contrer les convulsions. Tout ce à quoi vous assisterez, chère madame, c'est, dans trente jours, après trente injections, à une métamorphose. L'âme de votre fils au printemps de sa jeunesse. Je sais que c'est une épreuve, chère madame. Je sais aussi que le jeu en vaut la chandelle. Allez, assez de mots, il va falloir passer aux actes. »

Elle conduit son fils en direction de la chambre 217. Eduard marche en silence. Ses yeux fixent droit devant lui. Son visage a perdu tout l'entrain qui était le sien durant la journée. Ils passent devant une succession de portes. Parfois, une plainte traverse les murs. Parfois un rire éclate. Sans doute est-il encore temps de faire demi-tour ? Courir, dévaler l'escalier, retrouver l'air de la ville. Fuir. Prendre un fiacre, se rendre au Prater, monter sur une nacelle de la Grande Roue, voir les lumières de Vienne s'éclairer une à une, et la ville entière devenir comme un flambeau, s'étourdir du spectacle, dîner dans une guinguette, retourner à l'hôtel et, au petit matin, prendre le train pour Zurich, rentrer à la maison, poser les valises, reprendre le chemin qui mène au Burghölzli. Suivre le fil des jours. Attendre patiemment. Ils sont parvenus devant la chambre 217. Elle ne fera pas demi-tour. Une femme de ménage est en train de faire le lit.

« Vous m'avez fait sursauter ! J'ai presque terminé. On m'a demandé de m'appliquer. Il paraît que le patient de la 217 n'est pas n'importe qui. On me prévient toujours à la dernière minute. Et après, on s'étonne ! Alors, c'est pour le jeune homme ? Vous serez bien, mon garçon, qui que vous puissiez être. Moi, je suis comme le bon Dieu, je ne fais pas de préférences. De toute façon, ici chacun bénéficie d'un traitement de faveur. C'est moi qui passe après pour nettoyer les draps. Madame, soyez rassurée, je prendrai soin du petit. Vous me semblez sympathiques et vous ne prenez pas l'air important... Allez, je crois que j'ai terminé. Cela te convient jeune homme ? Tu peux me faire appeler si quelque chose ne va pas. Greta. Il n'y en a qu'une. Demain, je mettrai des fleurs dans le vase. Et je t'apporterai un gâteau. Tu verras, cela met du baume au cœur. Et du cœur, Greta en a plus que ces maudits docteurs. Je vous laisse, madame. Vous pouvez rester jusqu'à la tombée de la nuit. Je vous conseille de laisser le petit se reposer. Demain, il aura besoin de toutes ses forces.

Comme je le dis toujours, pour détendre l'atmosphère : la cure du docteur Sakel n'est pas une sinécure. »

Elle marche dans les rues. Elle ne reconnaît rien, ne sait plus où elle est, se demande pourquoi elle est venue ici, a abandonné son fils, l'a laissé entre les mains d'inconnus, de prétendus médecins, des barbares, le mal contre le mal, le Diable en personne, elle est l'associée du Diable, elle va plonger son fils dans le coma, elle lui donnait le bain, cela lui semble hier, elle ne doit pas le voir pendant le mois entier, c'est la cure qui veut ça. Le « maternage », a dit Sakel, ne peut se faire que sans la mère. Il faut en revenir aux origines, elle serait prête à disparaître si ce n'était que cela, faire place nette. Ils vont dissoudre sa conscience dans un bain de souffrance. Pourquoi s'est-elle laissé convaincre ? Elle se faufile parmi les ombres. Plus rien n'a d'éclat, les palais, les fontaines. Vienne est ville morte. Elle demande à un passant la direction de la gare. Elle prend l'avenue à droite. Elle poursuit droit devant. Elle rentre à Zurich. Elle laisse dans cette ville la meilleure part d'elle-même et la seule qui vaille.

112, MERCER STREET

1

Il reconnaît l'écriture de son ami Besso sur l'enveloppe provenant de Suisse. Il décachette et lit :

Berne,
Cher Albert,
Dimanche, j'ai vu tes quatre descendants – ils sont tous alertes et en bonne santé ; je suis resté longtemps avec Tete. Il est trop gros et vite fatigué, mais il est décidément en meilleure santé que l'année dernière. Le changement d'air à Vienne n'a donc pas été inutile. Il est très possible qu'une grande joie lui serve de tremplin vers de nouvelles forces.
Salutations cordiales
Ton Michele.

Cette lettre est la plus courte qu'il ait reçue de Michele. Elle est porteuse de plus d'espoir que nulle autre. « *Le changement d'air à Vienne n'a pas été inutile.* » Michele Besso a le sens des mots, celui des nuances et des euphémismes. La cure de Sakel, un changement d'air. Quant à la grande joie que Michele évoque, c'est à demi-mot un nouvel appel à faire venir Eduard en Amérique. Cette fois-ci, le message a été entendu. Rendez-vous a été pris avec les autorités concernées. Il quitte la maison un peu en avance. Il veut éviter de faire attendre le préposé à l'Immigration du secrétariat d'État, John Sturcon. L'homme vient de Washington. Il a lui-même proposé de faire le déplacement. Oh, ne vous dérangez pas, professeur. Cela me permettra de retrouver les lieux où j'ai eu mon diplôme. Donnons-nous rendez-vous chez Bracy's, cela me rappellera ma jeunesse. Il longe Mercer Street jusqu'au centre-ville. Il ignore si l'entretien durera longtemps. Il croit savoir déjà ce qui s'y dira. Il devine que sa démarche sera vaine. Il connaît les lois et l'esprit des lois. Les Américains ne dérogent jamais à cet esprit-là. C'est le pays de la liberté, pourtant aucun pays, excepté peut-être l'Allemagne, ne nourrit autant de vénération pour ses lois. Il connaît aussi le Code de l'immigration. Nul n'est censé l'ignorer autour de lui. Ce sont les Tables de la Loi contemporaines. Pourtant, ce matin, il va faire l'ignorant.

Il entre chez Bracy's. Le restaurant est presque vide. Un serveur le salue, lui annonce qu'il est attendu, à la table du fond. Monsieur Sturcon se lève en l'apercevant, serre la main tendue, se rassoit. Après un bref préambule, l'homme déclare :

« Cher professeur. J'ai étudié votre dossier. Le sujet est délicat. Toute vérité n'est pas bonne à dire. C'est cela que l'on affirme dans les bâtiments voisins des nôtres. Les services de M. Hoover voient le mal partout. Comme je le répète, l'homme discret a toutes les qualités. Et vous savez aussi être discret, professeur, même si ce n'est pas votre fort, si vous en rajoutez toujours. Cela agace certains. Allez, venons-en au fait. Pour les gens de votre race, les temps ne sont pas faciles. Il y a un orgueil, que je trouve bien placé, à ne pas se soumettre à cette interrogation. J'ai donc une bonne et une mauvaise nouvelle. Je sais en même temps que je ne vous apprends rien. Pour l'aîné, Hans-Albert, ce sera oui, nous l'acceptons en Amérique. Pour le cadet, Eduard, ce ne sera pas possible. Vous allez me répondre que c'est un peu cruel. Que j'exige d'un père qu'il choisisse entre ses deux enfants. Bien entendu. Mais je ne fais pas ce métier pour être bon, mais pour être juste. Et seule la loi est juste. Vous n'êtes pas homme à traiter les choses à la légère. Vous avez dû étudier la question. Concernant les personnes handicapées et le droit à l'immigration aux États-Unis. Bien entendu je ne parle de personne en particulier. Bien entendu, je n'ai été mandaté par personne et vous pourrez présenter le dossier de quiconque à l'administration et M. Hoover s'occupera personnellement de votre cas, donc, reprenons : aux États-Unis, l'immigration est régie par la législation de l'Immigration Act et par ses interprétations dans chaque État. Tous les demandeurs d'un visa d'immigrant doivent passer un examen médical physique et mental. Les données relatives à l'état de santé d'un requérant sont issues de l'examen médical que doit effectuer un médecin civil agréé selon les directives précises. Est inadmissible quiconque est jugé avoir soit un trouble mental ou physique et une conduite liée à des troubles de comportement pouvant constituer un danger pour la propriété, sécurité ou au bien-être de l'étranger ou d'autrui, comportement risquant de se reproduire ou de provoquer d'autres comportements traumatiques et destructeurs. Le retard mental n'engendre pas automatiquement l'inadmissibilité à moins que le requérant ne manifeste ou n'ait manifesté un comportement destructeur. En vertu de la loi, est par ailleurs inadmissible le demandeur qui risque, à n'importe quel moment, de devenir un fardeau pour l'État.

« Tout cela, vous le savez, hélas, cher professeur, cependant il est bon parfois de rappeler les choses essentielles. Donc, après une étude sommaire de cas semblables aux vôtres puisque nous savons tous les deux que vous n'avez rien sollicité, je dirai à titre personnel qu'un fils sur deux c'est beaucoup mieux que la plupart des demandes de vos semblables que j'ai à traiter aux portes d'Ellis Island. Et j'ajouterai à titre personnel que la Suisse est un pays qui s'honore de traiter ses malades mentaux mieux qu'aucun autre. Allez, cher professeur, je serai ravi de signer l'acte de naturalisation de Hans-Albert Einstein et de le recevoir dans notre beau et grand pays. Tous les Einstein sont les bienvenus chez nous. Du moins, ceux qui ont la tête bien faite. »

Mon frère Hans-Albert a reçu les autorisations nécessaires pour rejoindre notre père sous d'autres cieux. Il vient aujourd'hui me dire adieu avant le grand départ. J'ai préparé un cadeau pour Hans-Albert. J'ai réalisé un collage à partir de trois photos. Une photo de mon père prise dans le journal. Une photo de ma mère et moi, à Vienne, sur l'Heldenplatz lorsque je suis sorti vivant de la clinique du docteur Sakel. Et une photo d'Hans-Albert, lors de son mariage avec Frieda. J'ai découpé soigneusement les contours de chacun d'entre nous, les ai disposées ensemble sur une feuille de papier. Cela fait un véritable portrait de famille. Nous n'en avons pas d'autre, à ma connaissance, à l'âge adulte.

Je me suis mis sur mon trente et un pour que mon frère emporte le meilleur de moi en Amérique. Qu'il transmette une bonne image de moi à mon père. Je ne veux pas que papa se tracasse à mon sujet. Je ne le déteste pas au point que j'ai pu le dire par le passé. J'aimerais que nous fassions la paix. Je ne souhaite être une source de problème pour personne. J'espère aussi que mon frère ne sera pas triste de me trouver dans mon état. J'ai trop grossi. Le surveillant Heimrat prétend que j'ai dépassé les 100 kg. Quand j'ai douté de ces allégations, il s'est emporté.

« Je sais de quoi je parle, de poids et d'une balance ! Tu prétends mieux connaître les balances que moi ? Prétentieux, tu te reprends pour Einstein ? Aucune cure ne te sert de leçon. Tu persistes et tu signes. Tu es irrécupérable. »

Il a quitté la pièce. J'ai alors retrouvé le petit fil de fer coupant ramené de mon séjour à Vienne. Je me suis tranché le poignet gauche. Avec mon sang, j'ai écrit sur le mur : je suis le fils d'Einstein. Heimrat est revenu. Cette inscription salissante l'a mis hors de lui. J'ai fait un bref séjour à l'infirmerie pour qu'on me recouse, puis j'ai fini au troisième sous-sol avec ma camisole. J'espère que cela lui servira de leçon.

Voilà, on frappe à la porte. Ça doit être mon frère. Il ne traverserait l'esprit de personne d'autre de respecter ainsi mon intimité. L'intimité est proscrite en ce lieu. Nos vies sont ouvertes aux quatre vents. Mon frère a le souci du respect de la personne humaine. Il témoigne même de respect à mon égard, c'est dire. Nous nous tombons dans les bras. Ses joues sont rasées de près. Il sent bon. Son costume beige tombe bien. Sa veste est douce au toucher. Cela fait longtemps que je n'ai pas mis un costume. Qui me verrait aujourd'hui n'imaginerait pas que je portais beau. Hans-Albert me dit que je n'ai pas changé. Je réponds qu'il ment bien. Je ne m'étends pas. Je sais que les gens, même les plus bienveillants, n'aiment pas s'attarder en ce lieu.

Si cela ne tenait qu'à moi, je ne m'éterniserais pas non plus.

« Alors, tu pars ? je demande.

— Dans une semaine.

— Moi aussi, j'aimerais aller en Amérique.

— Mais tu es bien ici ?... Tu es mieux que chez maman, n'est-ce pas ?

— Ne t'inquiète pas pour moi. »

Je sens monter en lui une grande tristesse. Ses yeux se portent au-dessus de mon lit sur le mur où demeurent encore quelques traces rouges. Il a la délicatesse de ne rien me demander à ce sujet. C'est à cela qu'on reconnaît son frère. Un homme qui ne vous questionne ni sur vos poignets entaillés ni sur les murs tachés. Ce sont les liens du sang.

« Alors, je dis, tu vas retrouver notre père. Tu vas vivre à Princeton ?

— Non, nous allons, ma famille et moi, en Caroline du Sud.

— Tu as raison, il faut garder de la distance. Ne pas être les uns sur les autres. Ne pas changer les habitudes. Ce n'est pas parce qu'Hitler est au pouvoir que nous devons nous rapprocher de papa. Dis-moi : est-ce que la Caroline est loin de Zurich en voiture ? »

Il prend soudain un air d'incompréhension. Cet air m'est familier. Je préfère ne pas poursuivre. Je demanderai à maman pour le trajet. S'il le faut, tant pis, j'irai en train.

« Tu vas être citoyen américain ! je lance. Tu me diras ce qu'on ressent. Et n'aie pas peur que je sois jaloux. Ce n'est pas dans mon tempérament. »

Hans-Albert prévient qu'il ne peut pas s'éterniser. Une voiture l'attend dehors. Il m'étreint longuement, avec force. Je dis :

« Prends soin de toi, l'Américain ! »

Il me lance un dernier regard. Il quitte la pièce. J'entends ses pas dans le couloir. Je me saisis de la serviette mouillée que j'avais laissée sous mon lit. Je me mets à frotter les traces sur le mur au cas où Hans-Albert revienne embrasser son frère une dernière fois. Je frotte assidûment. Je m'assois. Je réalise que j'ai oublié d'offrir mon cadeau. J'espère que je pourrai envoyer le collage par la poste. Ce serait tellement dommage, un portrait de famille comme la nôtre.

2

Debout sur le quai du port de New York, il regarde Hans-Albert descendre du paquebot, sa valise à la main. Le soleil à peine levé éclaire les passagers sur la balustrade d'un halo de clarté. À mesure qu'Hans-Albert approche, l'émotion grandit en lui. Un espoir insensé né d'une foi orgueilleuse. Son fils aîné a consenti à le rejoindre. Cette arrivée sur la terre d'Amérique offre la promesse d'un renouveau. La vie des Einstein reprend pied. La famille se reconstitue. La légende des Einstein comptera des dates fondatrices. 1635, Baruch s'établit en Allemagne. 1905, l'année miraculeuse. 1938, Hans rejoint son père aux États-Unis. L'arbre généalogique, arraché de sa terre hostile, poussera, régénéré, sur le sol américain. La longue expérience de sa vie le lui a enseigné. En quelque endroit du monde, on prend racine. La terre importe peu. Seul compte ce que dicte notre conduite, ce que célèbrent nos mémoires. Nous répétons le passé de nos pères, de la même manière qu'enfant nous entonnions leurs prières. Nulle part on ne reste. Ceux qui croient à la pérennité des lieux se leurrent. Nous vivons l'éternel recommencement.

Nous connaissons le chaos après avoir fait l'apprentissage de la gloire. L'éphémère est notre état premier. Notre sillon se creuse dans la boue du temps. La terre devient hostile quand nous y prenons racine. Nous vivons dans l'illusion de la considération de nos semblables. Nous imaginons que nos semblables nous jugent pareils à eux. C'est vrai de quelques-uns. La plupart ne nous voient pas comme nous sommes. Nous sommes la projection d'infinis fantasmes. Chacun possède un avis sur qui nous sommes et qui nous devrions être. Nos vies s'inscrivent dans le regard des autres. L'Histoire nous arrache sans cesse aux destinées premières. Là, depuis la nuit des temps, résident notre force, nos joies sans bornes et nos pires malheurs. Cette glorieuse incertitude est notre Terre promise.

Il jubilait à la pensée de l'arrivée de son aîné. Il espérait que, le temps et la distance aidant, Hans-Albert aurait effacé de sa mémoire les heures entachées d'ombres de l'adolescence, les déchirements de haine entre sa mère et lui. Peut-être aurait-il même pardonné ses réticences à le voir prendre pour épouse Frieda ? Ces réserves étaient vives, sans doute inexcusables. Il n'aimait pas Frieda. Il l'avait fait savoir à son fils. Maintenant que les années avaient passé, il avait conscience de n'avoir fait que répéter l'attitude de son propre père à l'égard de Mileva. Il avait été jusqu'à recommander à Hans de ne pas avoir d'enfants avec Frieda. Il avait usé des arguments les plus fallacieux. Frieda était plus âgée que Hans, on ne se mariait pas avec une femme plus âgée. Il parlait d'expérience. Et puis Frieda lui avait donné deux petits-enfants, Klaus et Bernhard. Il s'était fait à l'idée d'être grand-père, pensait même pouvoir racheter le père déplorable qu'il avait été.

Son fils vient de poser le pied sur la terre. Leurs regards se croisent. Au lieu de l'expression de joie attendue, il voit une lueur de tristesse, quelque chose d'infime qui ne peut cependant être mis sur le compte de la fatigue. Ils s'étreignent, brièvement, prononcent les mots d'usage dévolus aux retrouvailles entre un père et un fils. Ces paroles sont sans chaleur et sonnent faux. Il comprend la vanité de ses espérances, les traces indélébiles qu'a laissées le passé.

Hans-Albert lui apprend qu'il n'emménagera pas à Princeton. Avec Frieda et ses deux fils, ils s'établiront à Clemson, en Caroline du Sud. L'université y accueille un département d'ingénierie où il espère enseigner. Pour l'heure, on l'attend à New York, merci d'être venu.

Il demeure seul, sur le quai.

Aux dires de maman, cela fait cinq ans que mon père est en Amérique. Il est parti à temps. Sinon on l'aurait emprisonné à Dachau. Dachau n'est pas très loin d'ici. Ç'aurait été unique, deux Einstein internés en même temps, à deux cents kilomètres de distance. Peut-être aurait-on pu regrouper les familles ? Quoique la perspective de passer le restant de mes jours derrière des barbelés au côté de mon père n'a rien de réjouissant. Mais ça n'aurait pas duré si longtemps. Si mon père avait été arrêté, le monde entier aurait essayé de le faire sortir. Tandis que moi, nul ne s'en préoccupe.

Chaque jour, à 13 h 45, j'interromps ma sieste, je me lève du lit, lisse soigneusement le drap blanc, déplace l'édredon légèrement et le place plus au centre, à sa place, refais les angles au carré, ceux du bas du lit puis ceux du haut. Je recule d'un pas, examine le résultat, viens refaire l'angle du bas à droite, tapote sur un endroit du drap qui fait une bosse, souffle sur une plume de l'édredon jusqu'à ce que celle-ci tombe sur le sol, la prends entre l'index et le pouce, la pose sous le lit, à l'abri des regards, arrange les coins de l'édredon qui bâillent un peu, fais un pas en arrière, suis satisfait du résultat, veux vérifier que ce travail résistera à un poids d'environ quatre-vingt-douze kilos, m'allonge sur le sommier, demeure les bras le long du corps un instant, me relève, constate que le drap a été froissé, me remets au travail.

Il faut que tout soit parfait. Ce sera sans doute Gründ qui viendra vérifier la chambre, tandis que je préfère Forlich. Avec Gründ, la visite se termine toujours mal. Même s'il se montre moins tatillon que Forlich sur les angles au carré et la position de l'édredon. Contrairement à Forlich, il ne regarde jamais sous le lit – il ne parvient pas à se baisser en raison d'un mal de dos persistant dont il se plaint sans cesse. Ses vertèbres constituent un intarissable sujet de conversation depuis que l'une d'entre elles s'est déplacée. Sa douleur fait peine à voir. Je peux être ému aux larmes lorsque Gründ décrit combien le mal est intense, soulagé seulement par le fait de s'allonger sur le marbre froid. Je sais ce que souffrir veut dire. Même si par un heureux hasard, je n'ai jamais souffert du dos. Et c'est peut-être là le seul endroit de mon corps qui n'a pas fait parler de lui.

« Si tu n'as jamais eu mal au dos, tu ignores ce que souffrir veut dire, rétorque toujours Gründ d'un ton de reproche.

— Si, je vous assure, mon lieutenant. (Gründ, pour des raisons obscures, exige depuis quelques mois d'être appelé mon lieutenant.) Je peux imaginer combien vous avez mal.

— Je te dis que tu n'imagines pas !

— Je vous assure, mon lieutenant. Lorsque j'ai mal à la tête, cela peut être terrible aussi.

— Petit prétentieux. Tu affirmes souffrir autant que moi ?

— Cela tape fort entre mes tempes.

— Pas plus que dans mon dos.

— Assez fort en tout cas.

— N'essaie pas de faire le malin. Tu n'as droit à aucune prérogative ici. Tu seras traité comme tout le monde.

— Je ne revendique aucun statut, mon lieutenant.

— Si. Tu insistes, tu ne cèdes pas, tu ne renonces jamais. Tu vas m'obliger à user de la force. Ça n'est pas bon pour toi. Tu sais qu'en plus cela va me faire terriblement souffrir les lombaires de te mettre une branlée. Tu aimes me voir souffrir, c'est cela ? Tu vas le payer, tu vas mal finir, Einstein ! »

Comme Gründ est un homme de parole, l'entretien se termine toujours au cachot, avec un œil au beurre noir. Voilà pourquoi je préfère Forlich.

3

Un silence solennel tombe sur la salle de concert du Hall McCarter. L'assistance entière semble retenir son souffle. Soudain une acclamation retentit et envahit l'espace. La salle applaudit à tout rompre. La silhouette de Marian Anderson, comme happée par les applaudissements, paraît sur scène. La cantatrice salue. L'instant de communion se poursuit.

Il est au troisième rang. Il se sent encore transporté par l'*Aria* de Haendel. La musique le ramène cinq ans auparavant, à l'Opéra de Berlin, où sur la scène, devant lui, se tenait déjà Marian Anderson. Il avait assisté à la première tournée à l'étranger de la plus grande voix de l'Amérique. Elsa l'avait accompagné.

Les acclamations redoublent. Marian Anderson quitte la scène. Des hourras sont lancés. Elle reparaît. Son visage baigné de lumière trahit une sorte de souffrance. La salle se tient debout, tout entière à sa joie. Elsa aurait tant aimé assister à pareil spectacle. Mais Elsa n'est plus. Elsa a rejoint sa fille dans l'au-delà. Sa santé défaillante n'a pas résisté à la dernière attaque cérébrale.

Un à un, les êtres qu'il a aimés quittent ce monde. Les mois et les jours s'enchaînent, font de sa vie un grand désert empli de souvenirs et vidé de substance. Pourtant il ignore les grands accès mélancoliques. Il cède rarement à la tentation de puiser dans ses souvenirs un quelconque réconfort. Il n'est pas sensible à la saveur étrange que peuvent procurer les élans de nostalgie. De jour, il préfère flâner dans le parc boisé plutôt que de parcourir en pensées les vestiges de son existence. Dans le silence de la nuit, quand les absents se font entendre, il ne s'attarde pas à écouter le murmure du passé.

La salle se vide. Il va rejoindre Marian Anderson dans sa loge. En l'apercevant, la cantatrice court l'étreindre. Elle est ravie de le voir. Elle le prend par le bras. Ils descendent par la porte de service. Il lui propose d'aller à pied. Elle accepte à la condition de ne pas passer devant le Grand Hôtel Nassau. Ce serait trop d'honneur. Ils quittent les environs du Hall McCarter. Ils marchent côte à côte. Elle préférerait aussi ne pas s'attarder dans le quartier de la rue Whips. Il l'invite à découvrir Witherspoon.

Descendant le haut de la rue Nassau, ils croisent les représentants de cette Amérique qu'il côtoie tous les jours, professeurs et élèves de l'université sortant des restaurants ou flânant dans la ville, étudiants blancs sportifs et brillants, aux costumes trois pièces parfaitement coupés, chemises impeccables, fiancées splendides et élancées courant insouciantes le long du parc, voulant impressionner leur compagnon, jeunesse triomphante, descendant en droite ligne des héros du *Mayflower*, race sûre d'elle, convaincue de posséder ce monde.

Ils décident de contourner le cimetière, et empruntent la rue Witherspoon. Ils longent des maisons de bois bien loin du lustre de Mercer Street. C'est maintenant une autre Amérique dont les habitants, tous noirs, ne fréquentent pas les restaurants de la rue Wipple, montent dans des bus qui leur sont réservés, ne fréquentent pas le Hall Theater. La plupart des restaurants de Nassau leur sont interdits. Au mois de septembre dernier, lors de la dernière rentrée universitaire, un jeune homme du nom de Bruce Wright a reçu une bourse sur dossier pour entrer à l'université de Princeton. Lorsque le président l'a vu pénétrer dans son bureau, l'homme a froidement signifié au chanceux bénéficiaire qu'il y avait eu erreur. Princeton a conservé ses traditions depuis 1796. Aucun Noir sur les bancs de l'université.

Le long de la rue Jackson, des enfants viennent à leur rencontre. Ces gamins le connaissent. « Le professeur » est l'un des rares Blancs à marcher sur ces trottoirs. On sait qu'il conserve toujours quelques bonbons dans sa poche. Les gamins rient lorsqu'ils le voient vêtu de son pantalon trop large et de ses sandales. On ne connaît personne qui, comme lui, traverse ce quartier sans accélérer le pas, ne paraît pas être là par erreur.

Marian Anderson lui dit combien elle est sensible à son soutien à la cause des Noirs. Elle sait que sa conscience antiraciste ne s'est pas éveillée le jour où Hitler est apparu sur la scène politique allemande. Elle se souvient de sa participation à la défense des garçons de Scottsboro accusés à tort de meurtres et passibles de la peine de mort. Elle lui révèle combien, en 1931, sa lettre au leader noir Web du Bois l'a émue, comme elle a marqué les consciences des gens de son peuple. Il répond qu'il abhorre la ségrégation raciale. Sa pire déception en Amérique est que cette peste semble plus présente à Princeton que dans aucune autre ville du New Jersey.

Ils marchent sur Mercer Street en direction du 112. Il a invité Marian Anderson à séjourner chez lui après que le Grand Hôtel Nassau eut fermé ses portes à la cantatrice. La plus grande voix d'Amérique est une indésirable. L'établissement refuse toutes les personnes de couleur – excepté gouvernantes et femmes de ménage. Marian Anderson s'est vu signifier qu'aucune chambre n'était disponible. Aucune entorse au règlement non écrit de l'hôtel ne saurait être faite. Quand s'est répandue la nouvelle qu'Einstein avait invité la chanteuse noire, des voisins, des journaux ont exprimé leur réprobation. On a parlé de trahison. Des dizaines de lettres d'injures ont été adressées au 112. On s'est insurgé contre sa décision. Comment un émigré de fraîche date, pas encore naturalisé, juif de surcroît, se permettait-il de donner des leçons de morale au vénérable propriétaire de l'Hôtel Nassau ? Vous narguez les institutions de la ville de Princeton, cette ville qui vous a accueilli quand l'Europe ne voulait plus de vous ! Les règles de bienséance existent, monsieur Einstein. Avoir obtenu le prix Nobel ne place personne au-dessus des traditions. La ségrégation fait partie intégrante de ces lois non écrites. C'est à nous faire regretter d'accepter ces gens-là sur notre continent. C'est à inciter le farouchement antisémite et tout-puissant secrétaire d'État à la Maison-Blanche, Cordell Hull, à restreindre plus encore pour l'année 1938 l'entrée des juifs en Amérique. C'est à encourager John Edgar Hoover à poursuivre sa collaboration avec les services de la Gestapo, à entretenir des liens d'amitié avec Heinrich Himmler, à inviter le dirigeant nazi à la Conférence mondiale de la police à Montréal en 1937, et à aller personnellement accueillir à l'aéroport son bras droit en visite aux États-Unis.

Les voilà, elle et lui, parvenus au 112. Ils poursuivent leur conversation dans le salon. Le regard de Marian Anderson croise une photo posée sur la bibliothèque. Elle se saisit du cadre, demande qui est cet homme jeune entouré de ses deux garçons. Il répond que c'est son fils, Hans-Albert, et ses deux petits-fils, Bernhard, neuf ans, et Klaus, cinq ans. Ils vivent depuis quelques mois en Caroline du Sud et lui rendent visite de temps en temps. S'il n'a plus la force de porter Bernhard à bout de bras, il peut encore prendre Klaus sur ses épaules.

A-t-il d'autres enfants que Hans-Albert ? Oui, il a un fils prénommé Eduard qui vit en Suisse avec sa mère. Accepterait-elle une tasse de thé ?

Ils sont assis autour de la petite table. Marian Anderson évoque son projet de se produire prochainement à Washington au Constitution Hall. Quel rêve ce serait, et quel aboutissement, la première femme noire jamais produite dans cette salle mythique. Les obstacles demeurent nombreux. Le groupe des *Daughters of the American Revolution* s'oppose à sa venue. Il rappelle, en souriant, que la *Woman Patriot Corporation* voulait lui interdire l'accès aux États-Unis cinq ans auparavant. Elle dit réfléchir au fait de chanter seule, en plein air, au Memorial Lincoln. Elle imagine cent mille personnes devant elle, et sa voix planant au-dessus des frondaisons de la Maison-Blanche. Elle espère qu'il viendra l'écouter.

Elle ressent maintenant la fatigue du récital. Elle dit bonsoir, va dans sa chambre préparée à l'étage. Il remet le cadre à sa place sur la bibliothèque.

J'aime flâner sur les collines environnantes du Burghölzli, remonter les sentiers taillés dans l'herbe haute que traversent des ruisseaux. Je me poste sur le pont de bois qui enjambe les berges. Penché au-dessus de la balustrade, je pourrais rester des heures à contempler l'eau vive courir entre les pierres. Les jours de grand soleil, des étincelles de lumière éclatent sur les flots. Le bruissement de l'eau me murmure à l'oreille. J'écoute et je comprends. La nature me parle. J'entends de joyeux frémissements. Si on s'adresse à moi, je réponds, question de politesse. Je tiens cela de ma mère. Les hanches exceptées, je suis à son image. Quelqu'un de sage et d'effacé. Je ne veux de mal à personne. C'est dire comme ma douleur ici est grande.

Mon voisin de palier, Herbert Werner, s'est entretenu avec moi en début d'après-midi. À l'évidence, cet homme ignore les règles de la bienséance. Après s'être présenté, il s'est aussitôt flatté d'avoir tué son oncle, de l'avoir découpé en morceaux et d'avoir jeté les ossements dans les chutes du Rhin, à deux pas d'ici. Il l'a écrit dans son journal. Il m'en a montré quelques pages –

une écriture appliquée qui noircit toute la feuille. Par politesse, j'ai feuilleté le livret. Un tissu d'immondices. Cet homme est menaçant. Un vrai danger public.

Cela dit, les restes de l'oncle d'Herbert Werner reposent dans le plus bel endroit qui soit. Les chutes du Rhin sont d'une splendeur qui n'a rien à envier aux chutes du Niagara. Depuis Zurich, prenez la direction de Schaffhouse. Comptez deux bonnes heures. Faites une brève halte dans la cité médiévale. L'église de Tous-les-Saints vaut le détour. Schiller y a trouvé l'inspiration pour son poème, *La Cloche*. Quand vous aurez terminé la visite de l'église, reprenez la Vordergasse, quittez la vieille ville, longez le sentier comme indiqué sur la carte, marchez quinze bonnes minutes. Il vous sera alors donné de voir un spectacle époustouflant, la furie du grand fleuve, les eaux tourmentées, bouillonnantes du Rhin.

Je ne nourris aucune animosité personnelle envers Herbert Werner dont, en d'autres circonstances, je pourrais même apprécier la compagnie. Par prudence, cependant, je reste sur mes gardes. D'un coup de cuillère, Herbert vous transpercerait la gorge. Mais je ne l'imagine pas lever la main sur moi. Les gens m'aiment bien en général – hormis peut-être mon père, homme d'exception à tous égards.

Une chose que je regrette cependant : le piano à queue de la grande salle du Burghölzli, on m'interdit d'y toucher. On prétend que je fais du tapage. J'admets que je ne joue plus aussi bien qu'avant. Les notes s'emmêlent dans mon esprit. Les partitions ne me parlent plus. Je vois des

signes entre les dièses. Les bémols ne se soumet-
tent pas aux règles. Pour couronner le tout, mes
doigts ne répondent plus aux ordres de mon cerveau. Je montrerai un jour de quoi je suis capable.
J'ai été un pianiste hors pair. Dans mon état, on
ne se rend pas compte. Je jouais comme personne.
Ma mère disait que j'avais un don. J'ignore ce que
j'en ai fait.

J'ai appris dès mon plus jeune âge avec d'éminents professeurs de Zurich. Heinrich Reinhart
était un enseignant affable avec qui j'ai franchi un
cap. Les *Nocturnes* de Chopin, la *Pathétique* de
Beethoven et Brahms, tout Brahms. Reinhart
disait que je n'avais qu'à puiser dans ma mélan-
colie naturelle. On comprend que je ne date pas
d'hier. Ensuite j'ai eu affaire à un dénommé Franz
Braun, homme strict et obtus, tiré à quatre
épingles, qui se faisait donner du Maître. Il consi-
dérait que je n'avais pas un niveau en rapport avec
mes prétentions artistiques. Lorsque je manquais
une croche, une règle en métal s'abattait sur mes
mains. On a toujours bridé l'artiste en moi.

Maman m'a ôté des pattes de ce monstre. Elle-
même donnait des cours pour arrondir les fins de
mois. Je pris des leçons à ses côtés. Mais si c'était
à refaire, je ne mélangerais pas les fausses notes
en famille.

Franz Braun me terrorise encore aujourd'hui,
alors que d'un coup de poing, je pourrais lui briser
l'échine. Lorsque je passe devant chez lui, j'aper-
çois son visage toujours à la fenêtre. Il me scrute
fixement. Il me menace encore. Il bat la mesure
en m'observant. Qu'attend-il de moi ?

Il demeure que j'ai été un excellent pianiste. Bach, Schumann, Mozart, j'ai tout joué ou presque. Bien entendu on n'a retenu que les prédispositions d'Albert Einstein pour le violon. Le soleil brille toujours pour les mêmes.

Mais il y a plus mal loti que moi. On raconte qu'Alfred Fregzer, le patient qui occupe la chambre 57, n'a pas dit un mot depuis les années vingt. Il s'exprime par grognements. Un jour que nous nous trouvions côte à côte dans la cour, j'ai essayé d'entamer la conversation. Je lui ai demandé si ce que l'on racontait à son propos était exact. Il m'a répondu en geignant. J'ai poursuivi en demandant si depuis 1920, il avait noué des relations avec certains pensionnaires ou s'il préférait rester seul. Il m'a regardé d'un air las et s'est dirigé vers l'autre extrémité de la cour. Je tenterai de renouer le dialogue une autre fois quand le hasard nous réunira. Quand j'ai relaté ma rencontre au docteur Minkel, il m'a félicité et m'a dit que converser avec les pensionnaires était un bon moyen de sortir de l'isolement. Selon le docteur, je devrais persévérer dans cette voie. Je lui ai demandé si c'était la voie de la guérison. Il m'a observé d'un air froid. Puis son visage a rétréci. Sa tête est rentrée dans son cou. Son corps décapité a quitté la pièce comme pour me signifier que certaines questions ne se posaient pas. Je l'ai revu depuis. Il avait retrouvé la tête sur les épaules. Je le préfère ainsi. Mais, dorénavant, lorsqu'une question d'importance me vient à l'esprit, je tourne sept fois la langue dans ma bouche. Je n'aime pas voir le docteur Minkel dans tous ses états. Je déteste qu'on souffre par ma faute.

4

Au milieu du mois de décembre, à Clemson, Caroline du Sud, le petit Klaus a été pris d'une fièvre brutale. L'enfant ne pouvait plus rien avaler. Il ne parvenait à prononcer un mot. Un cri rauque jaillissait parfois de ses lèvres. En examinant sa gorge, on voyait des voiles blancs recouvrir ses amygdales. Le petit Klaus était atteint de diphtérie. La paralysie générale le menaçait. L'asphyxie le guettait. Des traitements existaient. Sérums, antitoxines pouvaient atténuer la maladie. La trachéotomie, un geste simple pour un chirurgien aguerri, l'aurait sauvé de l'asphyxie, et lui aurait peut-être permis de passer le cap le plus difficile.

Mary Baker a fondé l'Église du Christ scientiste au XIXe siècle sur la côte est des États-Unis. Mary Baker a écrit :

La guérison physique par la Science chrétienne résulte, aujourd'hui comme au temps de Jésus, de l'opération du Principe divin, devant laquelle le péché et la maladie perdent leur réalité dans la conscience humaine et disparaissent aussi naturellement et aussi nécessairement que

*les ténèbres font place à la lumière et le péché
à la réforme.*

L'Église scientiste refuse tout traitement au
patient. Seule la prière est censée sauver les
corps malades, rattraper les âmes en détresse.
Hans-Albert et Frieda Einstein sont des adeptes
de l'Église scientiste. Ils s'y sont convertis en
Europe des années auparavant. Hans-Albert et
Frieda refusent toute assistance, toute médica-
tion, toute intervention. Durant une semaine,
Hans-Albert et Frieda vont prier nuit et jour.

Jusqu'au dernier instant, Einstein tentera de
convaincre son fils dans l'espoir que Klaus puisse
bénéficier d'une hospitalisation.

« Qui es-tu pour me donner des leçons ? Tu es
mon père lorsque ça t'arrange. Tu t'es détaché
de nous comme tu t'es détaché de notre mère.
Tu nous as abandonnés pour partir vivre avec
une autre. Tu te montres soudain concerné par
nos vies. Tu prétends maintenant veiller sur
l'existence de Klaus ? Souviens-toi, tu m'avais
recommandé de ne pas avoir d'enfants avec
Frieda. Si j'avais écouté tes conseils, Klaus ne
serait pas de ce monde. Aujourd'hui seul le Seigneur veille sur Klaus. Peut-être que tu ne peux
pas comprendre cela. Toi, tu n'as pas la foi. Tu
ne sais que blasphémer, ironiser. Moi, je remets
la vie de mon fils entre les mains du Seigneur.
Nos prières valent mieux que toutes les médica-
tions qu'on pourrait lui prodiguer. Tu t'étonnes
de mes choix, moi, un ingénieur, un scientifique
qui construit des ponts, des ponts solides censés
rapprocher les hommes. Rien n'est solide sur

cette terre, rien sinon la volonté divine et la foi en Jésus-Christ. Je suis devenu scientiste porté par cette foi et cette foi restera inébranlable. Maintenant, papa, j'aimerais que nous arrêtions cette conversation. »

Le petit Klaus est mort dans la nuit du 5 janvier, sans médecin à son chevet, emporté par la maladie. Aucun traitement ne lui aura été donné pour apaiser ses souffrances.

Il est des malheurs auxquels on ne peut rien. On ne peut blâmer ni soi ni personne. Il range dans cette catégorie le mal qui frappe Eduard. Son chagrin se double d'un sentiment d'impuissance. Mais il ne ressent pas une once de culpabilité. Il garde la certitude que sa seule présence, la moindre de ses actions aggraverait l'état de son fils. La seule évocation de son nom agit comme un brasier dans l'esprit d'Eduard.

Mais quant au drame qui vient de se produire, il pense en porter une part de responsabilité. Il a le sentiment d'un terrible gâchis.

Il se remémore sa rencontre avec Zweig en 1930, à Berlin au café Beethoven. C'était la première fois que les deux hommes se voyaient, malgré la longue liste d'amis qu'ils avaient en commun. Au milieu du repas, le Viennois lui avait offert un livre. C'était un exemplaire à peine sorti de presse, d'un ouvrage intitulé *La Guérison par l'esprit*. Zweig l'avait informé que ce livre lui était dédié. Et en effet, feuilletant l'ouvrage, il avait lu, imprimé, en page 3 : « *À Albert Einstein.* » Au-dessous, l'écrivain avait annoté, à l'encre violette, sa dédicace personnelle : « *Un homme que j'admire par-dessus tout.* » « Peut-être, avait lancé l'écrivain, un jour, j'écrirai sur vous. Après tout, le monde d'Einstein est aussi captivant que celui de Freud, et vos mystères aussi impénétrables. » Ils s'étaient quittés avec la promesse de se revoir.

Le livre comptait une biographie de Freud et un essai sur Mary Baker.

Et voilà : son cadet Eduard, fasciné par Freud, s'était retrouvé emprisonné dans la nef des fous. Et son petit-fils Klaus avait été perdu par les théories démentes de Baker.

« *La Guérison par l'esprit,*
À Albert Einstein. »

Il se demande si le destin est écrit. Et s'il l'est parfois, imprimé dans les livres. Il songe que le destin s'amuse avec les hommes et qu'il se rit de lui.

NOVI SAD – PRINCETON

1

Elle avance lentement sur le quai de la gare de Novi Sad. Le froid s'engouffre sous les manches de son manteau. Elle est dépassée par une petite foule pressée qui marche en rang serré. Quelqu'un la bouscule sans s'excuser. Elle manque de tomber. La foule a passé. Un agent dans un uniforme froissé, une casquette trop large sur la tête, lui propose ses services. Elle décline d'un mot. Sa valise ne contient presque rien, une robe, quelques affaires personnelles, un journal acheté à la gare. Elle n'a pas ouvert le journal. Elle n'attend plus rien des nouvelles du monde.

Sa hanche la fait souffrir. Elle s'appuie contre un banc, elle hésite à s'asseoir. Elle craint de ne pouvoir se relever.

À la sortie, elle attend un instant comme perplexe. Elle aimerait tant reconnaître quelqu'un venu la chercher, là, sur le trottoir au milieu des petits attroupements où des êtres s'étreignent, s'embrassent, se tombent dans les bras, éclatent de rire, s'effondrent en larmes. C'est le joyeux ballet des tendres retrouvailles auquel elle n'est plus conviée.

Nul ne l'attend. Elle pourrait s'autoriser à flâner dans les rues de la ville, longer les rives du Danube, comme elle aimait le faire autrefois lorsque Zorka venait à la descente du train. Mais c'est pour enterrer Zorka qu'elle a fait le voyage.

Elle est déjà venue six mois auparavant se recueillir sur la tombe de Lieserl. Elle est la seule avec Albert à savoir où gît le petit cercueil. Cela restera leur secret éternel. Nul n'apprendra jamais le lieu où elle dépose ces fleurs chaque année, au milieu du printemps. Aucun témoin n'osera révéler qu'Einstein, avant l'exil, en 1932, est allé poser une pierre sur la petite tombe, selon son rite juif. D'aucuns l'ont reconnu. Plus tard, on l'a interrogée sur la présence du savant en ce lieu. On avait aperçu le grand savant, à Novi Sad au mois de mars. Non, messieurs, vous étiez au café, vous avez vu un fantôme. Ou bien un homme grisonnant, un étranger à la chevelure hirsute traversait la rue, et l'alcool vous a fait croire que vous connaissiez cet homme. Des étrangers grisonnants, il en passe dans toutes les bourgades d'Europe. Ils errent çà et là. C'est un mirage, messieurs, cessez plutôt de boire.

Elle hèle un taxi, indique la destination, le numéro 20 de la Kisacka. L'homme demande si elle a bien voyagé, si elle rentre chez elle. Elle est d'ici, bien sûr, il le devine à son accent.

« Il n'y a rien de tel que notre bonne ville de Novi Sad. J'ai vu des gens faire le tour du monde et affirmer que c'est le plus bel endroit de la terre. Vous n'êtes pas d'accord ? Ne vous sentez pas obligée. Ici, chacun est libre de penser

174

comme il l'entend. Nous ne sommes pas en Allemagne. »

Elle ne voit pas les rues. Les passants sont des ombres. Elle ne saurait dire précisément l'heure qu'il est. Elle a froid, voilà tout. Elle se calfeutre contre le siège. Elle a oublié ses gants. Sur le buffet, sans doute. En partant, elle les a posés pour vérifier ses clés. Elle a pensé : surtout ne pas oublier mes gants. Elle a les mains sensibles. Elle ne sent plus ses doigts lorsque le soir tombe.

« Les Allemands mériteraient qu'on leur donne la leçon. Mais non, Chamberlain et Daladier leur donnent les Sudètes. Ils sont revenus à nos frontières maintenant. Vous allez voir, l'envie de nous envahir va les reprendre. Ils sont comme ça. Ils aiment être partout chez eux. Et comme ils ne sont bienvenus nulle part... Hélas, Daladier et Chamberlain n'ont que le mot paix à la bouche. Quand on est taxi, on sait qu'il n'y a pas de paix possible. On connaît les hommes. Notre métier veut ça. On devine vite à qui on a affaire. Vous par exemple, je sais que vous êtes quelqu'un de triste. La tristesse, c'est notre pain quotidien. Elle se lit dans vos yeux et la peur aussi, je me trompe ? La peur n'est pas un défaut. De nos jours, celui qui n'a pas peur est un menteur. »

On traverse la ville. La maison est dans les faubourgs. Elle a en tête les propos de la voisine de Zorka qui lui a annoncé le drame au téléphone. Le silence gêné dont elle ponctuait chacune de ses phrases. Elle semblait s'être fait un devoir de la ménager. Comme si la vie pouvait encore la ménager.

Elle a l'intuition qu'elle vient à Novi Sad pour la dernière fois. Depuis quelques mois, elle est envahie de pressentiments. Une fois présents dans son esprit, ils ne la lâchent plus. Elle sait aujourd'hui qu'elle ne remettra plus le pied sur la terre qui l'a vue naître, où elle a grandi, connu ses grands bonheurs. Elle sent par la fenêtre entrouverte les effluves du Danube, cette odeur forte qu'elle connaît si bien. Elle se revoit marcher aux côtés de son père le long des berges. Le temps de l'enfance est loin. Elle a soixante-trois ans. C'est une vieille femme.

« Quel est votre nom, je suis sûr que nous avons de la famille en commun ? Novi Sad n'est qu'un grand village… Maric ? Vous voulez dire Mileva Maric ? Et vous restez silencieuse ? Vous devriez crier sur les toits ! Vous êtes un héros national, la fierté du peuple serbe, plus grande que Pierre 1er ! Allez, vous pouvez me le dire, le sieur Einstein a tout volé ! C'est vous qui avez tout inventé. La relativité et tout le tralala ! Vous pouvez vous confier. Je serai une tombe ! Ne soyez pas modeste ! Accordez-moi une faveur. Laissez-moi faire le détour par le pont Prince-Tomislav. Cela ne nous prendra pas longtemps. Quelle fierté pour moi, de traverser ce pont au côté de la mère de l'homme qui l'a construit. C'est notre fierté locale, cet édifice, vous le savez bien. Allez, acceptez ! »

Hans-Albert a dessiné les plans du pont Prince-Tomislav. Le plus beau et le plus récent ouvrage du pays. Son propre fils en 1928. Un pont splendide qui surplombe le Danube en un lieu où celui-ci est large comme nulle part. Elle avait assisté dix ans auparavant à son inauguration. C'est l'œuvre de son fils et sur sa terre à elle. Il travaillait comme ingénieur à Dortmund dans une entreprise de charpente en fer. La construction du pont avait été commandée par le gouvernement serbe. Hans-Albert avait eu à charge l'élaboration de la maquette et la surveillance de l'édification. Un Einstein, l'autre. L'aimé, le bon. Même si Hans-Albert aussi l'a abandonnée. Un à un, les Einstein la quittent pour l'Amérique. Heureusement, il y a Eduard. C'est à se demander si Eduard est un Einstein. S'il n'y avait ces yeux qui ne trompent pas. Elle accède à la demande du taxi. Mille mercis, madame Einstein ! Ce pont est une splendeur. Et vous savez pourquoi cela me rend doublement joyeux. Votre fils l'a imaginé et ce sont les Boches qui l'ont financé. En réparations de guerre. Même si maintenant tout cela, évidemment, ils vont nous le faire payer. Ils sont du genre rancunier. Faire avaler aux Serbes l'humiliation subie, cela doit être inscrit dans un coin de la tête du Führer. Regardez, là-bas, à droite ! Oh, comme il est splendide. Nous n'avons pas fait le détour pour rien. Regardez-le scintiller sous notre beau soleil. On croirait un oiseau qui s'élance et replonge. Un bel oiseau de fer et de feu. Une œuvre magnifique !

Le taxi s'arrête au milieu de l'édifice et la laisse descendre. Penchée sur le rebord, elle contemple le fleuve. Elle pose ses doigts sur la balustrade. C'est un peu comme si elle étreignait la main de son fils. Le serrera-t-elle encore une seule fois contre son cœur ? Elle redoute que non. Les larmes qui coulent le long de ses joues tombent dans le Danube. Elle relève la tête et croise au loin les toits de la ville. Elle devine l'endroit où elle doit se rendre. Elle fait quelques pas jusqu'au taxi, ouvre la portière, s'assoit. En voiture ! fait le chauffeur. Son destin l'attend au 20 de la rue Kisacka.

Son amie Milana, debout à la porte de la maison, fait un signe de la main en apercevant le taxi. La voiture la dépose. Les deux femmes s'étreignent. Puis Milana, en larmes, dit, hésitante, dans un sanglot :

« Je n'ai touché à rien. Wladimir est venu pour ouvrir grand les fenêtres. Moi, je n'ai pas pu. Le prêtre doit arriver dans une heure. Tu n'es pas obligée d'entrer. La mort doit remonter à plusieurs jours déjà. On n'avait pas de nouvelles depuis mardi mais souvent Zorka demeurait ainsi, sans sortir des jours entiers, on ne pouvait pas prévoir, tu sais.

— Non, tu ne pouvais pas, rassure-t-elle.

— Tu comprends, ajoute Milana, elle restait toujours enfermée avec ses chats. C'était son caractère, c'était Zorka. »

Elle pousse la porte entrebâillée. La puanteur est extrême. Elle pose un mouchoir sur son nez et sa bouche. Ce qu'elle voit est inimaginable. Des chats, peut-être une trentaine, occupent la pièce, courent sous la table, frôlent les murs. Certains la fixent de leurs yeux perçants. Elle avance vers le lit dans la pénombre. Soudain, elle aperçoit le corps. Elle est maintenant face au cadavre étendu, la peau sur les os. Elle contemple ce visage méconnaissable, ces yeux exorbités, ces joues creuses, ces cheveux gris et clairsemés.

Tu aimes lorsque je fais des nattes, demandait Zorka dans l'enfance. Elle dépose un baiser sur ces lèvres. Elle fait un signe de croix. Elle retourne vers la porte où l'attend Milana. Elle pense : C'était Zorka.

Gründ m'a présenté ses condoléances. C'est la première fois que j'en reçois et je n'ai rien fait pour. Gründ me dit qu'il a bien connu Zorka quand elle venait ici. Il l'aimait bien. Je remercie. Il explique qu'ils avaient une passion en commun. Il adore les chats aussi. Il éprouve une grande tendresse pour qui vit en compagnie des chats. Il me demande de ne pas répéter ce qu'il vient de me confier, de le garder secret, parce qu'il considère cet aspect de sa personnalité comme une faiblesse et ici, certains pourraient en profiter, Herbert Werner, par exemple. Je remercie pour la confidence, promets de tenir ma langue.

Gründ n'est pas le seul à m'avoir fait part de sa tristesse. Dès que la nouvelle s'est répandue, les gens sont venus me consoler. Ici, tout le monde se souvient de Zorka. J'ai cru comprendre qu'elle s'était fait des amis durant ses séjours prolongés. Ce n'est pas dans les habitudes de la famille. Nous sommes des êtres sur la réserve, nous n'accordons pas notre confiance très aisément, certains vont jusqu'à parler de misanthropie. Ce n'est pas que nous n'aimions pas les gens, c'est que la plupart des gens ne nous aiment pas.

Ceux qui vivent dans l'illusion du contraire n'ont rien compris.

Tante Zorka haïssait la terre entière. Les hommes plus particulièrement. Peu de femmes trouvaient grâce à ses yeux. Elle me répétait : Cite-moi une personne qui fait le bien sur terre – à part ta mère bien entendu. J'avais bien du mal à répondre. Même si je ne connais finalement qu'assez peu de personnes pour affiner mon jugement. Je sors peu. Je ne voyage pas. Quant aux êtres que je croise en ce lieu, qui peut croire que c'est pour mon bien ?

Tante Zorka n'aimait que ses chats. Elle se privait pour qu'ils mangent à leur faim. J'ai proposé à maman de les adopter dorénavant. Maman a répondu qu'il n'y avait pas de place dans ma chambre et que les infirmiers n'apprécieraient pas d'autres bouches à nourrir. J'ai vérifié auprès du surveillant Heimrat – il a en commun avec tante Zorka le fait de détester l'humanité. Heimrat m'a regardé au fond des yeux. Il m'a demandé combien tante Zorka avait de chats. Une trentaine. Il a réfléchi un instant. Puis il a répondu qu'on pourrait les manger, qu'il adorait la chair des chats, que cela avait le goût de la chair humaine. Après quoi, il est parti dans un éclat de rire et a quitté la chambre. Je préfère croire à une blague.

Les chats seront à l'abri dans la maison de Novi Sad. Nul ne songera à les manger. Nous aimons les animaux, nous les Serbes. Ce sont des créatures de Dieu.

La disparition de Zorka a plongé maman dans un profond chagrin. J'essaie de la consoler.

Je passe des heures à ses côtés. Nous demeurons au balcon, silencieux, l'un près de l'autre. Je ne suis pas d'un grand secours. Maman se tient toujours sur le qui-vive par le seul fait de ma présence. Qu'y puis-je si le vide m'attire ?

2

Il observe l'homme assis face à lui. Selon Juliusberg qui l'accompagne, le dénommé Victor Schleiss a une révélation essentielle à lui faire. Ce psychiatre a fui l'Allemagne en 1937. Ensuite il a réussi à passer en Suisse. À Zurich, il a occupé un poste d'assistant à la clinique Burghölzli. Après quoi, ayant obtenu un visa, il a émigré aux États-Unis.

« Ce que je vais vous dire vous concerne particulièrement, poursuit le visiteur.

— Et nous dépasse tous, ajoute Juliusberg.

— Vous connaissez Ernst Rüdin, n'est-ce pas ? »

Rüdin est un médecin suisse vivant en Allemagne. Rüdin est l'auteur de l'ouvrage *Génétique et Hygiène raciale*, et l'un des initiateurs de la notion d'hérédité de la schizophrénie. Rüdin est aussi le grand penseur de l'eugénisme du Reich. Il a rédigé la loi dite de la « prévention contre la transmission des maladies héréditaires » promulguée en 1933 et qui prône la stérilisation des malades mentaux. En 1902, alors étudiant à Polyteknikum, il avait, au côté de Mileva, assisté

à une conférence que Rüdin donnait au Burghölzli.

« Vous savez ce qui se passe aujourd'hui, n'est-
ce pas ? » interroge Schleiss.

Le programme d'extermination des malades
mentaux allemands est sur la place publique
depuis que l'évêque catholique de Berlin a
dénoncé les « meurtres baptisés euthanasie ».
Durant le mois de juillet 1940, tous les malades
mentaux juifs hospitalisés du Reich ont été
envoyés à Brandebourg-sur-la-Havel pour y être
gazés. Puis le programme s'est étendu aux han-
dicapés non juifs. Cinquante mille malades
auraient été assassinés par gazage à l'intérieur
des hôpitaux. Le processus a été officiellement
arrêté grâce à la pression de l'évêché allemand,
relayé par un sermon de l'évêque de Münster,
Clemens von Galen, diffusé sur les ondes de la
BBC.

*Il y a un soupçon général, confinant à la cer-
titude, selon lequel ces nombreux décès inatten-
dus de malades mentaux ne se produisent pas
naturellement, mais sont intentionnellement
provoqués, en accord avec la doctrine selon
laquelle il est légitime de détruire une prétendue
"vie sans valeur" – en d'autres termes de tuer
des hommes et des femmes innocents, si on
pense que leurs vies sont sans valeur future au
peuple et à l'État. Une doctrine terrible qui
cherche à justifier le meurtre des personnes
innocentes, qui légitime le massacre violent des
personnes handicapées qui ne sont plus capables*

de travailler, des estropiés, des incurables, des
personnes âgées et des infirmes !

L'évêché allemand était resté muet sur l'extermination des malades juifs.

« Vous connaissez sans doute le rôle primor-
dial joué par Rüdin dans ce programme. Heydrich
était seulement son bras armé. Eh bien, j'ai
appris lors de mon passage à Zurich que Rüdin
avait usé de ses origines suisses pour interférer
auprès du directeur du Burghölzli, Hans Wolfgang
Maier. Rüdin a demandé à Maier de lui adresser
le dossier du patient Eduard Einstein.

— C'est du ressort du secret médical ! s'écrie
Juliusberg.

— Je me suis procuré une copie de la réponse
que Maier a adressé à Rüdin. »

Schleiss sort de sa poche un papier, tire ses
lunettes et lit :

À mon distingué collègue,
le professeur Ernst Rüdin,
Nous ne pouvons accéder à votre demande
aujourd'hui car ce jeune homme est actuelle-
ment hospitalisé dans notre clinique. Nous pou-
vons cependant vous communiquer qu'il souffre
d'une schizophrénie grave, clairement renforcée
par des causes psychogènes. Sur la question de
l'hérédité du père, nous manquons d'informa-
tions car depuis que j'ai traité le fils de manière
ambulatoire, le père n'est plus apparu chez nous.
Ce qui est sûr : c'est une hérédité schizophré-
nique qui vient de la mère, dont la sœur a été

*internée pour catatonie. La mère est une person-
nalité schizoïde.*

*Comme vous le savez, le mariage d'Albert
Einstein dont ce fils est issu est depuis longtemps dissous.*

*Au cas où vous auriez d'autres questions
encore, nous restons à votre disposition.*

Schleiss replie la lettre, la pose sur la table.

« Cher Victor, intervient Juliusberg, vous qui
revenez de Zurich, pensez-vous que les Suisses
seraient capables de livrer aux nazis autre chose
que les dossiers médicaux ?

— Vous voulez dire... des hommes ?

— Je veux dire *un* homme.

— Non, les Suisses ne feraient pas ça. Les
banques suisses récoltent l'argent des nazis.
Les autorités suisses interdisent l'accès de leur pays
aux réfugiés juifs. L'armée suisse refoule les juifs
à la frontière vers les SS à leur poursuite. Mais
livrer un citoyen suisse, non, ils ne le feront pas.

— Même si le patient vaut de l'or ? » murmure
Juliusberg

Victor Schleiss réitère sa réponse, laisse passer
un temps puis dit, sur un ton plus léger :

« Vous savez, j'ai été un élève de Freud. Vous
l'avez croisé, professeur, n'est-ce pas ? »

Il se met à évoquer sa rencontre avec Freud,
à Berlin. C'était l'hiver 1926. Freud rendait visite
à son fils Ernst qui exerçait le métier d'architecte
dans la capitale. La rencontre avait été cordiale.
Cependant, aucun véritable courant de sympathie
n'était passé. Freud avait plus de soixante-dix
ans. Lui n'en avait que quarante-huit. Il avait res-

senti une forme d'animosité de la part du Viennois. Freud semblait vivre leur relation sur le mode de la rivalité. « Vous avez eu plus de chance que moi », lui avait écrit le psychanalyste à l'occasion de son cinquantième anniversaire.

Lui-même n'a jamais caché à Freud ses réticences à l'égard de la psychanalyse. « Je préfère de beaucoup vivre dans l'obscurité de celui qui n'a pas suivi d'analyse... Il n'est peut-être pas toujours utile de fouiller dans l'inconscient... Vous croyez que d'analyser nos jambes nous aiderait à marcher ? »

Il n'a pas soutenu la candidature de Freud au prix Nobel de 1928. Il affirmait ne pouvoir se prononcer sur la vérité de ses enseignements. Il doutait qu'un psychologue puisse être candidat au prix Nobel de médecine. L'animosité du Viennois avait redoublé quand il avait appris qu'Einstein lui avait aussi fait faux bond et qu'il n'aurait jamais le Nobel.

En 1931, il avait cependant avoué à Freud avoir changé d'opinion : « Tous les mardis, je lis vos livres et ne peut qu'en louer la beauté et la clarté... J'hésite entre y croire et ne pas y croire. » Leur relation s'était alors lentement réchauffée.

« Comment s'est écrit l'essai sur la guerre que vous avez rédigé ensemble ? » demande Victor Schleiss.

Il explique que l'idée d'un livre à quatre mains était née à l'aune des années trente, et venait, à la SDN, de l'Institut international de coopération intellectuelle. L'ouvrage était annoncé comme un événement. Le découvreur de la théorie de la relativité et l'inventeur de la psychanalyse se réunissaient pour réfléchir sur l'état d'un monde malade de violence et de haine. Un livre écrit par les deux génies du peuple du Livre, l'intelligence supérieure et le gardien de la psyché. La SDN était sauvée. L'Humanité était sauvée. *Pourquoi la guerre ?* La question ancestrale qui puisait dans les insondables pulsions de l'homme allait être résolue. Le livre avait paru le 22 mars 1933. Dès le 10 mai suivant, l'ouvrage avait rejoint au bûcher les autres livres d'Einstein et de Freud partis en cendres sous les hourras des foules allemandes.

« Ce serait un honneur d'avoir ce livre dédicacé de votre main », dit Victor Schleiss.

Il se lève, s'approche de la bibliothèque, trouve sur une étagère la place de l'ouvrage dont il lui reste trois exemplaires. Il en tire un, s'assoit à son bureau, prend la plume, écrit une dédicace, tend l'ouvrage à son visiteur. Schleiss remercie. Juliusberg annonce qu'il est l'heure de partir. On se salue. Il remonte à l'étage. Il s'assoit sur son fauteuil. Il contemple le ciel par la fenêtre. La figure de Freud lui revient à l'esprit. Puis il songe à Eduard. Il n'a jamais parlé à Freud du mal qui frappe son fils. Zurich est pourtant proche de Vienne. Et Freud est l'un de ceux qui connaissent le mieux les psychoses. Freud aurait pu le conseiller. L'orienter et, pourquoi pas, prendre Eduard en consultation.

Ils ont coécrit *Pourquoi la guerre ?* durant l'année 1932. Eduard était alors hospitalisé au Burghölzli. Soigné par des confrères de Freud, certains de ses élèves. Un mot aurait pu être glissé au Viennois dans un des courriers échangés.

Freud était le modèle, l'idole de son fils. Eduard se destinait à la psychanalyse. Il rentrait dans la chambre d'Eduard, il voyait un grand portrait de Freud fixé au mur. Il contemplait impuissant le naufrage psychique de son fils face à l'image du guide suprême de la psyché. Et dans un même temps, il écrivait à Freud, il travaillait avec Freud sur ce livre dont l'ambition était de rendre la raison aux hommes.

Mais sur le cas d'Eduard Einstein, pas un mot. En 1936, il écrit à Freud depuis Princeton :

> *Je me suis contenté pendant longtemps d'apprécier la puissance spéculative de votre pensée, et son immense influence sur les conceptions de notre époque, sans être capable de me faire une opinion bien arrêtée sur l'exactitude de vos hypothèses. J'ai récemment eu connaissance de quelques cas peu importants en eux-mêmes dont la seule interprétation possible est celle de votre théorie du refoulement. J'ai été enchanté de découvrir ces cas, car c'est toujours un bonheur de constater qu'une grande et magnifique théorie est en accord avec la réalité.*

Qui étaient ces cas « peu importants » dont il avait eu connaissance, et dont il ne s'est ouvert à personne ? Le « cas Einstein » en faisait-il partie ? Et qui d'autre sinon ?

« J'ai été enchanté de découvrir ces cas. » Il regrette ses mots. Il n'a été enchanté de découvrir aucun cas.

Il avait correspondu avec Freud jusqu'en 1938. Une question l'obsède. Le psychanalyste savait-il que son interlocuteur et rival avait un fils psychotique ? Pouvait-il l'ignorer ? Jamais Freud n'y a fait la moindre allusion.

Il va chercher dans sa bibliothèque un autre exemplaire de *Pourquoi la guerre ?* Il feuillette l'opuscule. Il tombe sur cette question adressée à Freud en conclusion de son texte :

Est-il possible de diriger le psychisme de l'homme de manière à le rendre mieux armé contre les psychoses de haine et de destruction ?

Cette interrogation constituera la colonne vertébrale de l'échange de lettres. Qu'avait-il secrètement à l'esprit en 1932 ? « *Est-il possible de diriger le psychisme de l'homme ?* »

Il continue à feuilleter le livre. Voilà ce que lui répond le médecin :

Je présumais que vous choisiriez un problème qui fût aux confins de ce qu'on peut connaître aujourd'hui et auquel nous puissions l'un et l'autre, le physicien et le psychologue, accéder chacun par sa propre voie, de manière à nous rencontrer sur le même terrain, en partant de régions différentes. Aussi m'avez-vous surpris en me posant la question de savoir ce que l'on peut faire pour libérer les humains de la menace de guerre. J'ai même été tout d'abord effrayé de mon – j'allais dire notre – incompétence...

Il poursuit sa lecture. Il arrive à la conclusion de Freud :

J'ai scrupule à abuser de votre attention qui entend se porter sur les moyens de prévenir la guerre... L'instinct de mort devient pulsion destructrice par le fait qu'il s'extériorise à l'aide de certains organes, contre les objets. L'être animé protège pour ainsi dire sa propre existence en détruisant l'élément étranger.

Il songe à Eduard. Puis à sa propre personne. « *L'être animé protège sa propre existence en détruisant l'élément étranger.* » Il se demande si c'est ainsi qu'il se protège, en laissant une telle distance avec Eduard. Il protège sa propre existence. Il détruit l'élément étranger. Il se soumet à l'instinct de mort.

Avant-hier, au Burghölzli, au milieu du jardin, sous un soleil radieux, une jeune fille très belle s'est approchée de moi, m'a pris la main et m'a entraîné vers un banc où nous sous sommes assis. Pas une seule fois une personne du sexe opposé ne s'était comportée ainsi avec moi. Dans ses yeux brillait une lueur qui m'hypnotisait. Elle a posé ses mains sur les miennes. Elle me souriait sans raison. Elle a lancé :

« Je m'appelle Maria Fischer et il me semble t'avoir déjà vu quelque part.

— On me le répète souvent. J'ai un visage très commun.

— Tu as un très beau visage.

— Personne ne me l'a dit.

— Les gens mentent tout le temps. Ils cachent quelque chose.

— Je suis bien d'accord avec toi.

— Sais-tu ce qu'ils cachent ?

— Je ne serais pas là, sinon.

— Pourquoi es-tu ici ?

— Je ne sais pas.

— Moi non plus, je ne sais pas.

— Toi, il doit y avoir une erreur. Tu es belle, tu as l'air intelligente.

— Je crois que ce n'est pas une question d'intelligence.

— Alors, je ne vois pas.

— Ils me reprochent d'être folle.

— Ils nous accusent tous. C'est une véritable obsession. Je crois que l'on devrait prévenir les autorités.

— Inutile, ils sont de mèche avec... Tu me trouves folle, toi ?

— Moi, je te trouve très belle, si je peux me permettre.

— Oh, tout le monde se permet !... Est-ce que tu dis qu'elles sont belles à toutes les filles que tu rencontres ?

— Je ne rencontre aucune fille !

— Alors, tu parles sans savoir. Comment veux-tu que je te croie ?

— Tu as raison. C'est difficile. Je n'ai pas fait mes preuves.

— Essaie.

— *Tu m'as accusé de ne pas t'aimer, et ce reproche m'est bien amer, puisque ce qui me tourmente, et ce qui t'importune, c'est mon trop d'amour, Adèle.*

— C'est beau.

— C'est de Victor Hugo. J'aime beaucoup les poètes français.

— Tu n'as rien de plus personnel à me dire ?

— Laisse-moi le temps de chercher.

— Vous dites tous la même chose. C'est pour ça que je déteste les poètes... Je crois que je vais partir.

— Reste ! Je vais trouver des tas de choses personnelles à te dire. Je ne t'ai pas parlé de mon père ? Généralement les gens apprécient.

— Qu'est-ce qu'il a, ton père ?

— C'est Einstein.

— Et alors ?

— Tu ne connais pas Einstein ?

— De nom.

— Il est un père terrible.

— Qu'a-t-il fait de mal ?

— Il nous a abandonnés, mon frère et moi, entre les mains de notre mère. Il a quitté ma mère dans de terribles circonstances. Il l'a trompée sous toutes les formes. Il est parti pour une autre femme. Et selon maman, il trompe aussi cette femme avec d'autres femmes. Il aime les femmes, il les multiplie. Il est atroce. Personne ne le dit. On ne m'empêchera pas de révéler la vérité. Je le déteste.

— Moi aussi je déteste mon père.

— Il a trompé ta mère avec des femmes ?

— Non, il a couché avec moi. Il me viole depuis que j'ai cinq ans. Le dimanche matin quand ma mère va au marché. Tous les dimanches, il me viole. Je n'aime pas les dimanches. Ton père t'a violé aussi, toi ?

— Non.

— Alors je me suis trompée sur ton compte.

— Je peux te dire d'autres choses sur mon père.

— Tu parles trop de ton père. Ton père n'a pas plus de valeur que le mien parce qu'il s'appelle Einstein. Le fait d'être célèbre ne rend pas forcément plus odieux. Tous les hommes sont ignobles. S'il y avait un prix Nobel de la saloperie, mon père l'obtiendrait. Le tien a déjà le sien. Je vais te poser une question. Réponds-moi franchement... Est-ce que tu voudrais avoir du sexe avec moi ?

— Maintenant ! ?

— Dans la remise, au sous-sol. Tu veux ?

— Je ne peux pas avoir du sexe sur commande.

— Je ne te fais pas envie ?

— Oh, si, bien sûr. Jamais une femme aussi belle ne s'est adressée à moi.

— Ton comportement est étrange, Einstein. D'habitude les hommes acceptent ma proposition sans discuter et nous allons avoir du sexe au sous-sol, dans la remise.

— Qui sont ces hommes ?

— Je ne me souviens pas.

— Donne-moi un nom.

— Gründ.

— Gründ ! ?

— Et Forlich.

— Forlich ! ?

— Heimrat a refusé en raison du règlement. Mais j'ai bien vu que cela lui trottait dans la tête. Toi, on voit que cela ne te trotte pas. Tu es étrange.

— On me le répète tout le temps.

— Cela ne veut pas dire que tu vaux plus que les autres.

— J'ai bien compris.

— Ni plus ni moins, tu es un salaud comme tout le monde. Quand tu auras compris ça, tu iras mieux, et tu voudras avoir du sexe avec moi.

198

C'est pour cela qu'il vaut mieux que je te quitte maintenant. Tant que tu n'es pas pourri de l'intérieur. Quel est ton nom à part Einstein ?

— Eduard.

— Adieu, Eduard. »

Elle est partie subitement. Si vous la croisez, prévenez-moi, une jeune femme très belle, qui vous prend les mains.

3

Depuis le décès de Zorka, elle éprouve une forme d'étrange lassitude. Elle sort de moins en moins. Peu à peu, ses sentiments semblent lui échapper. La disparition du petit Klaus l'a ébranlée moins qu'elle ne l'aurait pu imaginer. Elle ne parvient plus à se souvenir de son visage. Sa tristesse s'est émoussée. Toute forme de courage l'abandonne. Elle n'a pas eu la force d'apprendre la nouvelle à Eduard. Et après tout, cela changerait-il quelque chose ?

Se mettre à la fenêtre et contempler la Limmat ne suscite plus aucune émotion. Déguster un Strudel aux pommes au café avec Héléna ne lui procure aucune joie. Elle ne pourrait plus dire depuis quand elle n'a pas ri. Des années peut-être. Elle ne se souvient plus. Peut-être perd-elle aussi la mémoire ? Comme ont fui les bons moments, les bons souvenirs s'échappent. Elle ignore où trouver une raison d'être heureuse. Tout est sec à jamais.

Le dernier ouvrage qu'elle a tenu entre les mains était *La Sonate à Kreutzer*. Une phrase a interrompu sa lecture : « *Tous, tous, hommes et femmes, nous sommes élevés dans ces aberrations de sentiment qu'on nomme amour.* » Elle ne lira plus rien.

Elle voit monter en elle d'étranges impressions. C'est un regard chez la boulangère lorsqu'elle demande un demi-pain. Ou le bonjour de sa voisine, quand Eduard a passé une nuit agitée et bruyante. La marchande de légumes la vole, presque rien, 100 grammes sur les carottes, deux centimes sur les oranges. On la prend pour Crésus parce qu'elle est l'ex-épouse du Nobel. Les gens savent que l'argent du Nobel lui a été versé. Un jour, sa coiffeuse lui a dit : « 80 000 couronnes suédoises, c'est une belle somme ! » Ses économies sont parties en fumée. Albert qui continue de verser ses 300 francs suisses mensuels vient de lui racheter, sous couvert d'une société, l'appartement du 62, Huttenstrasse. Elle ne parvenait plus à en payer les charges. Elle était menacée d'expulsion. Elle demeurera dans l'appartement jusqu'au jour de sa mort. C'est la promesse qui lui a été faite. Cet homme a tous les défauts du monde, pourtant il tient ses promesses. Depuis l'enfance, il tient ses promesses.

L'argent file entre ses doigts. Elle n'a pas su assurer la gestion des deux appartements censés lui garantir un revenu. Elle n'a rien d'une administratrice. Elle a fini par vendre les deux appartements. Elle ignore où est passé l'argent. Elle soupçonne le notaire de l'avoir volée.

Aucun étudiant ne vient plus frapper à sa porte pour un cours de mathématique. Elle ne se sent plus apte à enseigner. Elle ne trouve plus les solutions aux exercices. Elle ne comprend plus rien aux chiffres. Elle a perdu le sens de la formule. Aucun problème n'a de solution.

Autour d'elle, les êtres ont fui. Ses enfants l'ont quittée. Hans-Albert, parti en Amérique. Eduard, perdu dans son monde. Lieserl, dans l'au-delà.

Elle va avoir soixante-six ans. C'est une vieille femme. La lumière ne pénètre plus dans son esprit. Aucun étranger n'entre plus chez elle. Elle redoute de finir comme Zorka.

Elle désespère de voir la fin de la guerre. On lui dit que le vent tourne. La contre-offensive de l'Armée rouge est un succès. On parle d'un débarquement des Alliés sur le continent. Vivra-t-elle assez pour voir son pays libéré, Novi Sad retrouver les couleurs serbes ? Elle doute que cela change quelque chose pour elle. Elle est trop vieille pour que les choses s'améliorent. Elle espère seulement que l'arrêt des hostilités sera bénéfique à Eduard. Eduard connaîtra-t-il jamais la paix ?

Héléna, son amie, lui rend visite deux fois par semaine. Nulle autre ne vient briser le cercle de sa solitude. Au fil des semaines, elle se déprend de tout. Sa mémoire lentement lui fait faux bond. Sa vie lui échappe par bribes. Seuls les mauvais instants demeurent. Ses hanches lui font vivre un calvaire. Ses doigts sont perclus de douleurs. Sa vue s'est mise à baisser. Elle ne distingue plus aussi clairement qu'avant les formes des objets. Son corps entier s'est détraqué. Son âme est la proie d'un immense tourment. Autour d'elle, rien ne bouge.

Quand elle se regarde dans la glace, elle voit une expression de dégoût et de souffrance sur un visage gris et maigre. Elle a rangé tous les miroirs.

Au début, elle vivait dans l'illusion que sa réclusion serait un rempart contre le bruit et la fureur du monde. Elle sombre seule, sans réconfort. Elle est née en 1876. Elle s'accroche à l'existence, ou est-ce le contraire ?

Elle veut mettre Eduard à l'abri. Elle redoute ce qu'il adviendra le jour où elle disparaîtra. Elle n'a pas confiance en son ex-mari. Elle a caché dans le placard, toutes ses économies, la somme de 80 000 francs suisses en liquide. Elle n'a révélé à personne que sa fortune était là. Elle préfère la savoir ici qu'à la banque. Les banquiers sont des brigands. La boulangère est une voleuse. Le monde entier l'a flouée. Elle ne cesse d'adresser à son ex-mari des lettres l'implorant de lui donner de l'argent. Son ex-mari veut la mettre sous tutelle. Son ex-mari n'a pas de cœur. Qu'adviendra-t-il d'Eduard ?

Hans-Albert parle de venir lui rendre visite quand la guerre sera finie. Depuis combien d'années n'a-t-elle pas vu son fils aîné ? Elle ne possède qu'Eduard dans l'existence. Et Eduard ne possède rien. Eduard est le seul qui ne l'abandonnera jamais. Celui qui ne trahira pas. Tous les deux, à la vie, à la mort.

Avant-hier, le surveillant Heimrat nous a emmenés au cinéma. Nous avons vu *Saratoga* avec Clark Gable, un acteur que j'aime beaucoup, et Jean Harlow que je trouve très belle. Sur le chemin du retour, le surveillant nous a appris que Mme Harlow était morte pendant le tournage sans qu'on s'aperçoive de rien. La production a utilisé une doublure pour la fin. Finalement il n'y a pas que moi qui me dédouble. Mais moi, ce n'est jamais du cinéma.

Aux actualités cinématographiques qui précédaient le film, des foules défilaient dans les rues de Paris. J'aimerais visiter Paris maintenant que les Allemands n'y sont plus. On m'a parlé de Saint-Germain, Saint-Paul et Sainte-Anne. C'était soit les nazis, soit moi. Ces gens-là n'aiment pas les hommes de ma condition. Je me demande bien ce qu'on leur a fait. Pourquoi détester sans raison alors qu'il y a décidément tellement de bons motifs pour haïr ? Je n'aurai rien compris à cette histoire de race supérieure. Enfin maintenant que les nazis disparaissent, les races sont terminées.

La fin du conflit laisse tout le monde relativement froid ici. Il faut dire que nous n'avons pas exactement connu la guerre. J'ai demandé au surveillant Heimrat pourquoi les Allemands ne nous avaient pas envahis. Ce que nous avions fait de mal. Il m'a dévisagé avec son regard noir. « Tu aurais vu si les Allemands étaient venus ! Insolent que tu es. Dis merci à ton gouvernement plutôt que de faire tes remarques sournoises ! »

S'il y a un défaut que je n'ai pas, c'est la sournoiserie.

J'ai mon idée sur la question. Il y a une raison si les Allemands ne nous ont pas envahis. Nous ne valons pas moins que la terre entière. Nous sommes la porte à côté et les coffres de nos banques sont pleins. Mon avis : la Suisse dispose d'une arme secrète capable de détruire Berlin. Cette arme est enterrée sous le mont Blanc. Le code secret de cette arme est caché dans le coffre de la Banque fédérale. Autant dire inviolable. Les Allemands ont eu peur, ils redoutaient cette arme plus que l'Armée rouge et l'armée de Roosevelt. Je ne vois pas d'autre explication.

À ce qu'on raconte, la fin de la guerre devait améliorer notre quotidien. Même si je n'ai pas vraiment à me plaindre de privations. J'ai toujours mangé à ma faim. On me laisse sortir à loisir. Que demander de plus à l'existence ?

4

On l'a invité en ce mois d'août 1945 à aller à New York pour fêter la victoire. Il a décliné. Il n'est pas question de défiler sous les confettis. Ni flonflons ni fanfares sur la cinquième Avenue. Pas de bain de foule après le bain de sang. À ses yeux, ce jour ne marque aucune libération. Cette date sonne seulement la fin d'un terrible calvaire.

Il a vu les images d'une jeunesse radieuse défilant entre les buildings, beaux et fiers et vaillants soldats revenus du front et jeunes filles à leur cou, boulevards noirs de monde, éclatants de vies. Il n'a rien à fêter. Ce jour survient trop tard. Hitler a promis l'enfer aux juifs. La moitié de la population juive a été exterminée. Hitler a tenu sa promesse à moitié. Ce jour marque la demi-victoire des nazis. Il voue au peuple allemand une haine sans bornes. D'autres accordent le pardon mais pas l'oubli. Il n'oubliera jamais et ne pardonnera pas. Le temps n'aura pas raison de sa rancune. Sa haine se veut à la mesure du massacre commis, digne du crime des Allemands. Sa haine est imprescriptible.

Une nouvelle menace pèse désormais sur lui. Son aura s'est dissipée dans le nuage de feu qui a crevé le ciel d'Hiroshima. À la une du *Times*, il est croqué avec, dans son dos, un champignon atomique. Il est l'homme par qui le malheur nucléaire est arrivé.

De quoi est-il coupable ? Une lettre datée de 1939, adressée à Roosevelt. Une formule sur les propriétés de l'énergie, découverte jeune homme. En aucune autre façon, il n'a été associé à la construction de la bombe. Il a été écarté du Projet Manhattan. On l'a laissé dans l'ignorance de l'entreprise qui emploiera des centaines de milliers d'Américains dont ses amis Oppenheimer, Niels Bohr, Fermi. On l'a jugé indésirable. Le FBI alléguait qu'il pouvait livrer les secrets de la bombe aux Soviétiques. La seule faveur qui lui aura été accordée, dans sa volonté de lutter, avec ses moyens, à son âge, contre l'Allemagne nazie, était de travailler à la fabrication de sonars. Conseiller bénévole pour la marine, voilà la contribution à la guerre de l'homme qui a découvert la relativité. En avril 1945, alors que la bombe était prête, et que l'Allemagne était vaincue, il a réécrit à Roosevelt cette fois pour stopper la machine folle. Roosevelt est mort avant d'avoir lu son appel. Quant à Truman...

Il est considéré comme le père de la bombe atomique. La lettre à Roosevelt signe l'acte de naissance. $E = mc^2$, sa reconnaissance en paternité. Il ne reconnaît pas son enfant, il ne veut pas endosser la paternité. Il refuse le rôle du mauvais génie.

Tous les mois dorénavant, Hans-Albert lui rend visite. Ils font une longue balade sur les bords du lac Carnegie. Ils déjeunent ensemble. Hans-Albert parle de la chaire de physique où il enseigne aujourd'hui, aborde quelquefois le sujet de son travail, le mécanisme du transport des sédiments dans l'eau, ou bien plus simplement tient le récit d'une journée d'école de son fils Bernhard.

Les épreuves de la vie les ont rapprochés. Le temps a gommé les rancœurs. Les années de frustration, de douleur, de colère ont cependant laissé leur empreinte. Le visage du fils ne semble pas être tout à fait le même lorsqu'il s'adresse à son père et quand il parle à d'autres. Le ressentiment fige sur son visage la trace des vieilles peurs. C'est un qui-vive permanent. L'orage peut éclater du plus insignifiant propos. On tente de préserver le lien. On tient à distance le passé. Mais au détour d'un silence, le ton change brutalement. L'appel au calme est oublié et la trêve rompue. Hans-Albert veut en découdre. Il s'érige en procureur, reprend son réquisitoire.

« Est-ce vrai ce que l'on raconte, ou bien une légende ? As-tu fait signer à ma mère un papier régissant les conditions que tu lui imposais pour demeurer chez nous ? Était-il mentionné qu'elle ne devait pas te parler sans ton autorisation, ne pas ouvrir la porte de ton bureau sans ta permission ? »

Ces actes remontaient à trente ans en arrière. Il n'avait pas à se justifier devant son fils mais il allait tout de même tenter de le faire. À cette époque, il était à l'aube d'une gloire immense. Ses théories publiées dans les *Annales de physique* avaient fait dire à Planck, le patron de la science allemande, qu'Einstein était un nouveau Galilée. Il n'aspirait qu'à résoudre la généralisation de la théorie de la relativité restreinte. Prague lui offrait une chaire de professeur. Berlin l'accueillait. Poursuivre ses recherches était son obsession. Mileva vivait dans un état de jalousie maladif. Elle était dans le reproche permanent. Elle refusait son mode de vie. Elle l'accusait du temps consacré à ses travaux, de ses sorties avec ses amis, Besso, Grossmann et Volodine. Tandis qu'il s'ouvrait au monde, elle se repliait sur elle-même. Elle lui imputait la responsabilité de son propre malheur. Alors, bien entendu, ce contrat était absurde. Il était jeune, il avait à peine vingt-cinq ans. Ne commettons-nous pas des erreurs à vingt-cinq ans ?

« Mais tu l'aimais, n'est-ce pas ? »

Il répond qu'il l'aimait. Il ne s'étend pas. Il ne veut pas heurter son fils. Il ment. On ne pouvait appeler cela de l'amour. Il n'avait jamais été, à proprement parler, un homme amoureux. Il se laissait emporter par des passions fugaces. Il ignorait ce qu'était la fidélité. Il vivait dans l'illusion d'être sans attaches. Il avait multiplié les relations extraconjugales. L'amour n'était pas son sujet. Mileva était un béguin de jeunesse. Il nourrissait à son égard un mélange d'affection et de fascination. La fragilité de la jeune femme l'avait attiré comme l'avaient subjugué son intelligence et sa volonté. Le jour de leur rencontre, il avait à peine vingt ans. Il découvrait la vie. Il n'imaginait pas la portée de ses actes. Lieserl était née. Il s'était marié. La gloire s'annonçant, Mileva changeait, devenait pleine d'aigreur. Mais à quoi bon revenir là-dessus ? Tout cela lui semblait si lointain. Tant d'années s'étaient écoulées, tant de drames avaient eu lieu. Les êtres dont on parlait avaient pour la plupart disparus.

« Le temps n'efface rien. Il s'agit de nos vies. Donne-moi un fait, une circonstance atténuante à ton comportement avec ma mère. »

Un souvenir lui revient à l'esprit. Il espère que son fils comprendra. L'événement s'est déroulé en septembre 1913, le 21 septembre. Il s'était absenté de Zurich. Mileva avait évoqué la possibilité d'aller à Novi Sad voir Zorka, lui montrer combien ses fils avaient grandi. Elle n'avait pas évoqué d'autre chose. Il n'était pas question de religion entre eux. La religion était une sorte de non-dit, un *statu quo*. Elle savait combien il était attaché à ses racines juives. Cela avait été une des raisons pour lesquelles sa mère s'était opposée à son mariage. Son propre père, Hermann, n'avait donné la bénédiction que sur son lit de mort. Il avait enfreint la Loi juive pour épouser Mileva.

« Tu t'es rattrapé en t'unissant avec ta cousine ? Ta mère appréciait Elsa, n'est-ce pas ? Tu t'es en quelque sorte réconcilié avec elle en l'épousant. Tu as réparé ta faute ! »

Il poursuit sans relever. Pour les enfants, Mileva et lui n'avaient jamais parlé de conversion, ni de baptême, ni de circoncision. Puis vint ce jour d'automne. Mileva prend les enfants et les conduit jusqu'à Novi Sad. Toute la famille Maric les attend. Une fête a été organisée. L'église Saint-Nicolas a été fleurie pour l'occasion. Le vin de messe est tiré. On a rempli la cuvette de marbre devant l'autel. Le prêtre, Théodor Milic, fait son sermon. On va d'abord le chercher, lui, Hans-Albert. Le père Milic verse l'eau bénite sur son visage. Puis vient le tour d'Eduard. Eduard s'échappe, court dans l'église. On le rattrape au milieu des rires. On le porte aux fonts baptismaux. Le père Milic baptise Eduard. Voilà, les fils Einstein sont devenus chrétiens orthodoxes. Le lendemain, un article du quotidien de Novi Sad relate l'événement avant même que lui n'ait été prévenu.

« Qu'y a-t-il de mal à être baptisés ? À être chrétiens ? Nous ne sommes pas tous voués à devenir des saints juifs comme toi. »

Pouvait-il comprendre le sentiment de trahison qu'il éprouva alors ? Parvenait-il à saisir le degré de déliquescence que cet acte signifiait pour le couple Einstein ? Voilà, il voulait un fait. Il lui en avait donné un.

Il parle de son couple, le plus sincèrement possible. Son fils et lui réveillent le passé. Pourtant, ni l'un ni l'autre ne parvient à évoquer la figure d'Eduard, à seulement prononcer son nom.

Ce matin, lorsque j'ai croisé le surveillant Heimrat, j'ai voulu en avoir le cœur net. J'ai posé la question : « Surveillant, est-ce que je dois me réjouir de la victoire des Alliés ? »

Il a répondu oui, toi, tu peux.

J'ai demandé des précisions. Je déteste rester dans l'incertitude. Est-ce que je *pouvais* me réjouir ou est-ce que je le *devais* ? Il faut que les choses soient claires dans mon esprit.

« Tu dois, il a lâché.

— Si c'est un devoir, alors ce n'est plus vraiment du plaisir.

— Tu fais comme tu l'entends, Einstein.

— Alors c'est différent. Vous me donnez le libre choix. Je vais me réjouir.

— Tu peux.

— J'ai une autre question, surveillant Heimrat.

— D'ordinaire, Einstein, tu ne demandes pas.

— J'aimerais savoir si vous, vous vous réjouissez de la victoire des Alliés.

— Mon avis t'intéresse ?

— Je suis plus intéressé qu'on ne le croit.

— Je vais t'expliquer... Moi, je ne suis pas comme tous les politiciens véreux qui nous gouvernent. Je ne change pas selon le vent et les événements. Je conserve mes convictions. J'étais un Suisse neutre pendant toute la guerre. Neutre depuis septembre 1939. Six ans que je respecte une neutralité absolue. Absolue et sincère, c'est dans mon caractère, tu commences à me connaître depuis quinze ans qu'on se fréquente. Ni pour Hitler ni pour Churchill. C'est ce qui garantit mon ordre moral et ma sécurité, mes balades en voilier avec mon épouse Giselle, sur le lac Léman, chaque été, et mes longues marches sur le sommet des Alpes au printemps. Je n'ai qu'une parole, tu le sais. Eh bien je la conserve. Neutre hier et neutre aujourd'hui. Je n'ai aucune sympathie pour Hitler. Mais le nazisme était l'expression de la volonté d'un peuple. Les Allemands ont appliqué une doctrine à laquelle ils croyaient sincèrement. Qui suis-je pour critiquer cette doctrine, proclamer qu'elle est mauvaise ? Cette idéologie présente des inconvénients, certes. Elle est belliqueuse et violente, elle n'est pas tendre avec certains. Elle est parfois injuste. Mais la vie est-elle juste ? Churchill est-il juste ? L'ordre moral est-il juste ? Et puis, plus égoïstement, Hitler n'a pas été mauvais pour nous. Nous avons fait du commerce avec lui. Qui pourrait nous le reprocher ? Les va-t-en-guerre ? Les adeptes du camp opposé, les démocrates ? Nous n'avons rien à dire à ces gens-là. Nous, nous ne préférons pas la guerre. Nous préférons le commerce. Tu trouves ça mal, le commerce ?

— Vous savez bien que j'ai perdu la notion du Bien et du Mal quand j'avais vingt ans. »

Heimrat a alors sorti un billet de la poche de son pantalon, un billet de dix francs suisses et il a demandé :

« C'est quoi, ça, Einstein ?

— Un billet de banque.

— Est-ce que ce billet te semble bon ou mauvais ?

— Les billets peuvent-ils être mauvais ?

— Excellent, Eduard, tu as trouvé la réponse ! Un homme peut être mauvais, regarde ton camarade Werner, regarde Gründ. Mais un billet de banque ignore toute morale. Voilà pourquoi il n'y avait aucune raison de ne pas commercer avec le Reich. Ceux qui prétendent le contraire voient le mal là où il n'a pas lieu d'être. Ils voient le mal dans ce billet. Ces gens-là sont comme toi, ils ont perdu la raison. Mais ils n'ont pas tes excuses. Ce sont des ennemis de la morale. Des ennemis de la Suisse. Toi, tu es un ami de la Suisse, n'est-ce pas ?

— Je suis moi-même suisse, surveillant Heimrat.

— Alors, tu seras d'accord avec nous. D'ailleurs, il n'est pas sain de s'opposer à son pays natal. Regarde où cela a conduit ton père.

— Alors pour vous, surveillant Heimrat, on ne doit pas fêter la victoire des Alliés ?

— Je ne suis l'allié de personne. Je ne suis l'ennemi de personne. Nous sommes des gens sans histoires, Eduard. Les Allemands brassent de la bière. Nous nous brassons de l'argent. Nos peuples peuvent s'entendre entre brasseurs. Nous nous entendrons aussi avec les Américains, qui sont de grands brasseurs de vent. Nous ne voulons qu'être tranquilles. Faire fructifier nos vies.

Nous avons échangé des milliards de nos francs suisses contre des tonnes d'or du Reich. Avons-nous à savoir d'où provenait cet or ? Non, Einstein, la provenance n'est pas notre problème. Que cet or provienne en partie de la spoliation des juifs, Eduard, c'est le problème des juifs. Ou bien le problème des Allemands. Pas le nôtre. Que cet or vienne de la bouche même des juifs et de leur dentition ne doit pas nous préoccuper. Voilà la base de notre richesse, le b.a.-ba de notre tranquillité : nous ne demandons pas la provenance. Nous nous moquons des origines. Nous ne posons pas de questions inutiles. Nous devons ignorer le pourquoi du comment. Nous n'avons pas la mentalité policière, contrairement à ce que l'on nous reproche. Nous savons nous arranger avec la morale. Est-ce un défaut ? Nous avons eu des arrangements avec le Reich. Est-ce notre faute si les Belges ou les Hollandais sont moins arrangeants que nous ?

— Certainement pas, surveillant Heimrat.

— Nos coffres sont pleins et nous n'avons pas connu la guerre. Préférerais-tu l'inverse ? La Suisse n'a jamais été en guerre. Elle n'a souhaité la défaite de personne, la victoire de personne. Qui prétendra le contraire est un menteur. Soit il te ment maintenant à toi et à tes Alliés vainqueurs, soit il a menti aux Boches pendant six ans. Et moi, je ne supporte pas le mensonge. Je suis du parti de la vérité. Je n'ai pas eu d'ennemi déclaré. Je ne peux pas me réjouir de la défaite de quelqu'un qui n'était pas mon ennemi.

— Moi, je peux ?

— Toi c'est différent.

— Merci, surveillant Heimrat.

— Tu n'as pas à me remercier. Si tu as du sang juif, je n'y suis pour rien. Je ne peux pas l'empêcher, pas plus que je m'en réjouis. Et si j'ai mon avis sur la question, je me dois, là encore, de garder la neutralité dans l'exercice de ma fonction. Je ne suis ni pour les juifs, ni contre. Même si je trouve que l'on en a accepté un trop grand nombre ici, au début de la guerre. C'est mauvais quand il y a trop de juifs, cela attire le malheur. Regarde ce qui est advenu aux Hollandais, regarde la Pologne en ruine. Heureusement, chez nous, le tir a été corrigé, on a vite compris que la barque était pleine. Des mesures efficaces ont été prises. Ces mesures étaient-elles justes ? Cela dépend du point de vue où l'on se place. Pour les Allemands qui ont pu récupérer les juifs, les mesures étaient justes. Pour les Suisses dont la barque était pleine, elles étaient justes. Alors, diras-tu, et pour les juifs ? Mais c'est le juif en toi qui s'interroge ainsi. Le Suisse en toi aurait déjà conclu. Les Suisses sont des gens raisonnables. Raisonnables et neutres. Eduard, moi, je ne suis pas contre les juifs. Je fais avec.

— Vous savez bien que je ne suis pas juif, non plus. Vous n'avez aucune raison de faire avec moi.

— C'est ce qu'affirmait ta mère quand on la voyait ici. Tu serais baptisé selon le rite orthodoxe. Mais tu sais que je suis quelqu'un de méfiant. Qui peut nous dire ce qui est juif en toi ? Qui peut certifier ce qui ne l'est pas ? Permets que je reste dans le doute. Pour moi, tu es au moins à moitié juif.

— J'ai l'impression d'être scindé.

— Je ne te le fais pas dire.

— Une moitié de mon cerveau s'adresse à l'autre partie. Elle parle un langage que je ne comprends pas, que je n'ai pas appris.

— C'est peut-être de l'hébreu.

— Peut-être, puisque je ne comprends pas l'hébreu. Et à ce moment-là, tout se déchaîne dans mon crâne. Une partie de mon corps prend le relais, et l'autre ne m'appartient plus.

— Je sais, Einstein. Tu es ici pour que cela cesse.

— Mais cela se poursuit.

— Tu n'as pas l'impression de moins souffrir qu'avant ? Ou bien tout ce que nous faisons pour toi est-il vain ? Il faut le dire, Eduard, si tu te montres ingrat à ce point.

— Il est vrai que je ressens moins les choses qu'avant.

— Cela veut dire que tu es sur la bonne voie, Eduard. Le progrès c'est de moins percevoir la douleur de l'existence. De se montrer insensible aux turbulences. Quinze années passées ici ont fait de toi un autre homme, tu sais. Moi-même j'ai pu le constater.

— J'ai beaucoup grossi.

— On se moque du poids.

— Je parle plus lentement, et parfois, j'ai du mal à exprimer clairement ma pensée.

— Les gens ne séjournent pas au Burghölzli pour penser, Eduard.

— Ceux qui sont là depuis trente ans ne s'expriment presque plus.

— Sont-ils vraiment à plaindre ? Ne te sens-tu pas plus en sécurité dans notre monde, que dehors ? De nombreuses personnes t'envient, tu sais ?

— Je ne vois pas en quoi je suis enviable ?

— Tu es le fils d'Einstein. Ça n'est pas donné à tout le monde.

— Vous, vous m'enviez ?

— Non, moi, je te connais, c'est différent... Tu aimerais que je t'envie ?

— Je ne veux de mal à personne, surveillant Heimrat.

— Finalement tu es un bon gars, Einstein. »

Il est sorti en fermant la porte. Le claquement de la porte a dû fissurer quelque chose dans mon cerveau fragilisé par tant d'efforts de réflexion. J'ai senti un fragment de mon encéphale gauche se détacher. Et un pan entier de mon corps, la moitié droite, s'est vu soudain privé de tonus. J'ai failli m'effondrer sur le sol. Ma jambe et mon bras gauche ont tenu bon. J'ai avancé jusqu'à la porte avec l'intention de rattraper le surveillant Heimrat. Je voulais lui signifier dans quel état cette conversation m'avait mis, lui apprendre que ses propos ne me laissaient pas indifférents. Au prix de longs efforts, j'ai réussi à ouvrir la porte. J'ai commencé à marcher dans le couloir. Je voyais au loin la silhouette du surveillant Heimrat. J'ai voulu hurler son nom. Au lieu de cela, il m'est sorti un aboiement. Je m'accrochais à cet espoir qu'homme j'étais né, homme je mourrais. J'ai senti que l'accumulation des événements récents était peut-être en train de me transformer définitivement. Sans doute l'aboiement n'était-il que le prélude à une métamorphose plus profonde et annonçait-il également la perte de l'usage de mon bras et de ma jambe gauche, ainsi que la fracture définitive de mon cerveau. J'ai tenté de me reprendre. J'ai à nouveau hurlé le nom d'Heimrat. Un autre aboiement a jailli de mes poumons. J'ai vu Gründ et Forlich se mettre à courir en ma direction. De mauvaises intentions se lisaient sur leur visage. Lorsque Gründ est arrivé à ma hauteur, je me suis rué sur lui et je l'ai mordu à la gorge. C'est alors que j'ai senti un énorme coup sur la tête. J'ai arrêté de mordre. Il m'a semblé perdre connaissance. Je me suis réveillé au troisième sous-sol, entravé dans ma camisole. J'ai vérifié si j'étais redevenu humain et ai constaté que je n'aboyais plus et que j'avais retrouvé un usage, certes limité, de mes membres. Durant la journée, je n'ai plus vu personne. J'ai redouté quelques heures que du pelage ne me pousse sur les bras, qu'une queue ne naisse à mon coccyx. La transformation n'a pas eu lieu. Je reste vigilant. Je garde un œil sur mes arrières.

NORDHEIM

1

Elle a été retrouvée inanimée sur le trottoir.
Elle avait peut-être glissé sur la neige. Elle ne se
souvient pas. Sa jambe droite la fait atrocement
souffrir. Le médecin lui a demandé si elle avait
perdu connaissance avant de tomber ou si sa
chute avait entraîné l'évanouissement. Il a dit que
c'est important, que dans un cas, c'était la jambe
qui était malade, dans l'autre, cela pouvait être
une attaque cérébrale. Elle a répondu : Quelle
importance, ma jambe est cassée. Le médecin n'a
pas insisté. Lorsqu'il est revenu, elle s'est souve-
nue qu'avant la chute, son œil gauche avait subitement cessé d'y voir clair. Elle avait voulu
alerter les passants. Aucun mot ne s'était échappé
de sa bouche. Ensuite elle était tombée. Et sa
jambe s'était brisée. Le médecin l'a remerciée.
Pas de quoi.

Elle allait voir Eduard au Burghölzli quand
l'accident est arrivé. Elle lui apportait des Kipfer.
Elle se demande si on a retrouvé la boîte de biscuits. Si au moins quelqu'un les a mangés. Ou
si elle a fait le voyage pour rien, la boîte s'est
brisée au sol, les biscuits se sont répandus dans
la neige. Elle avait préparé les gâteaux la veille.

Elle les trouvait cuits à point quand souvent ils sont brûlés sur les bords. On lui affirme qu'elle ne marchera pas avant un mois et demi. Qui apportera des biscuits à Eduard ?

Le médecin a demandé quel membre de la famille avertir. Elle n'a pas su répondre. Y avait-il un proche, une amie ? Elle a fait non de la tête. Le médecin a eu l'air surpris. Voulez-vous que l'on prévienne votre ex-mari ? Surtout pas ! Personne d'autre ? Elle a hésité. Elle préférait finalement qu'Eduard apprenne la nouvelle. Qu'il ne s'inquiète pas de son absence. Elle a demandé qu'on y mette les formes. Le médecin a assuré qu'il y veillerait.

Elle se sent coupable d'être ainsi allongée, immobile, devant garder le lit, comme paralysée. Le médecin a, dans un geste très doux, caressé son front. Il reviendra demain. Qu'elle dorme le mieux possible. Qu'elle prévienne si elle souffre. On a de la morphine. Au revoir, madame Maric, tout se passera au mieux.

La clarté du jour lui fait ouvrir les yeux. Elle distingue, penché au-dessus d'elle, le visage de son fils. Sa figure nimbée d'un halo de lumière, Eduard ressemble à un ange. Elle esquisse un sourire. Comme par un jeu de miroir, il sourit. Il presse sa main et lui dit, de sa voix désormais plus grave, s'exprimant lentement, comme si chaque mot nécessitait un effort pour être prononcé :

« Je préfère te voir ainsi que lorsque je suis entré dans la chambre. Tu avais l'air morte.

— Tu vois, je suis bien vivante.

— À la clinique, ils m'ont tout raconté. Ils ont dit que la jambe était cassée. Ils n'ont pas su me dire si elle repoussera.

— Dans cinq semaines, je serai remise.

— C'est long, cinq semaines. En jours, cela fait...

— Pas tant que ça. Et puis tu peux venir me voir quand tu veux.

— Heimrat dit que je ne suis plus un danger pour personne. Tu savais que j'avais représenté un danger ?

— Ne fais pas attention. L'essentiel c'est qu'il te laisse venir ici.

— Heimrat prétend que tu as eu une attaque au cerveau.

— Est-ce que j'ai l'air d'avoir quelque chose au cerveau ? C'est ma jambe qui est cassée... Allez, parlons d'autre chose, tu veux bien.

— Maman, j'ai une question à te poser.

— Bien sûr, mon amour.

— Tu te souviens quand nous étions heureux ?

— Pourquoi demandes-tu ça ?

— Simple curiosité.

— Tu devrais profiter qu'il ne neige plus pour retourner au Burghölzli.

— Dis, maman, tu ne vas pas mourir ?

— Comment peux-tu penser de telles choses ?

— Parce que je ne sais pas comment je ferais, si tu venais à mourir. Je me sentirais trop seul.

— Crois-moi, je ne te laisserai pas. »

Je n'aime pas marcher quand la neige tombe. J'entends distinctement les flocons s'écraser sur mon manteau ou sur la route. Le grondement répété finit par assourdir. Et quand le vent se met à souffler, j'ai l'impression qu'une force invisible m'empêche d'avancer. Je multiplie les efforts, je combats contre les éléments. Parfois, je me sens pris au piège. J'appelle au secours. Personne ne me vient jamais en aide. Je me blottis à terre, je recouvre ma tête avec mes vêtements. Un jour, on m'a retrouvé allongé sur le sol et recouvert de neige. Des inconnus m'ont reconduit à la clinique. Forlich et Gründ ont bien ri de me voir gelé. Aujourd'hui, la tempête est passée. Le vent ne s'est pas levé contre moi. Et je suis arrivé à bon port.

Ah, tu étais là, Fräulein Maria Fischer ? Tu m'attendais dans ma chambre ? Excuse-moi de ne pas t'avoir vue dans la pénombre. J'espérais que tu reviendrais. J'ai peu de visiteurs. On croirait que les gens m'évitent. À part maman, bien entendu. Mais maman est atteinte actuellement, sa jambe s'est cassée. Je ne peux pas la laisser dans cet état. C'est non-assistance à personne.

Il faut que j'aille la sauver. Seul, je n'y parviendrai pas. Le courage est au-dessus de mes forces. Partons ensemble la libérer à la tombée de la nuit. Je connais un endroit, une porte cachée par les broussailles. Si tu acceptes de t'enfuir avec moi, après avoir récupéré maman, nous irons loin de Zurich. Je connais des gens à Genève. De là, nous partirons pour l'Amérique. C'est un lieu très en vogue. Tu sais, maman ne nous gênera pas. C'est la discrétion assurée. Alors, tu veux bien, Maria ? Neuf heures, devant le bâtiment ? Tu ne peux pas ce soir ? Ni demain ? Il n'y a qu'ici que tu te sens à l'abri ? Tu dois avoir raison, belle et intelligente comme tu l'es. Tu dois déjà rejoindre ta chambre ? Heimrat t'y attend ? Ne le fais pas languir. C'est un bonheur de t'avoir revue. Si tu changes d'avis, sache que je serai toujours prêt à partir avec toi. En attendant, je veille. Avec les loups.

2

Elle s'était rétablie, sa jambe était presque guérie. Le médecin l'avait autorisée à rentrer chez elle, mais elle a été victime d'une nouvelle attaque cérébrale. Et la voilà à nouveau hospitalisée depuis un mois à la clinique d'Eos, 18, Carmenstrasse, premier étage, chambre 17. Cette fois-ci, l'attaque a laissé des séquelles. Elle a perdu définitivement l'usage de son bras gauche. La commissure de ses lèvres tombe du côté droit. Elle fait peur à voir.

L'attaque s'est produite un dimanche. Eduard était sorti du Burghölzli pour la journée, il était calmement assis dans le salon. Quand soudain, il a été pris d'une rage folle. Il s'est mis à lancer des injures contre la terre entière. Il a insulté son père, ses médecins, jusqu'à la mémoire de Zorka. Après quoi il s'en est pris à sa mère. Il a levé la main sur elle. Elle s'est protégée. Le coup est passé à côté. Sous l'effet de la peur, elle s'est effondrée. Promis, Eduard n'y est pour rien. Un coup, a confirmé le docteur Monaca, ne provoque pas une attaque. C'est son cœur, son maudit cœur, qui n'a pas tenu bon. Son cœur a fini par lâcher.

Lorsqu'elle s'est réveillée dans la chambre, sa première pensée a été pour son fils. Elle a prié pour qu'il ne garde aucun souvenir de l'incident. Qu'il ne se sente pas responsable de son état. Heureusement. Eduard n'a pas bonne mémoire. Il ne fait guère la différence entre la vie réelle et ses cauchemars. Elle a nié fermement lorsqu'il a évoqué l'événement. Elle a dit, non, il ne s'est rien passé de tel. Que vas-tu chercher là ! Je t'interdis d'avoir de telles idées. Crois-tu réellement que tu pourrais me faire souffrir ? Tu peux dormir tranquille. Désolé d'avoir pensé à mal, s'est-il excusé. L'essentiel était préservé. Eduard ne se sentait coupable de rien.

Au début, elle parvenait à faire quelques pas dans sa chambre, au bras d'une infirmière. Maintenant elle se sent trop faible pour se lever. Elle a besoin d'une aide pour manger. Après le déjeuner, elle fait une longue sieste. Elle garde les yeux ouverts de moins en moins longtemps. Dès que ses hanches ou sa jambe la font souffrir, elle reçoit une piqûre. Elle a un grand besoin de soins.

Elle a émis le souhait d'être hospitalisée aux côtés d'Eduard, au Burghölzli. Elle veut être aux côtés de son fils. Qui d'autre qu'elle peut mesurer ce qu'a enduré Eduard au cours de ces années ? Après le traitement à Vienne, il a subi une autre cure Sakel à la clinique Müsingen par le docteur Muller, puis une autre série en 1942 au Burghölzli, puis six séances d'électrochocs en 1944. Il a fait une dernière tentative de suicide, quelques semaines auparavant. Elle doit se tenir à ses côtés.

Elle ne demande pas la lune, ni hôtel de luxe à Locarno, ni palace à Genève. Simplement finir ses jours aux côtés de son fils. Le directeur ne veut rien entendre. C'est pourtant le propre fils du docteur Bleuler.

Elle a sa place au Burghölzli. Elle aussi, maintenant, n'a plus toute sa tête. Sa propre sœur y a longuement séjourné. Son fils y a passé l'essentiel de sa vie. C'est la pension de famille des Maric.

Quand je suis entré dans la chambre, j'ai pensé que ma mère dormait. Je me suis approché. Elle a ouvert les yeux. Mais son visage est resté sombre et figé. Cela m'a beaucoup déstabilisé. J'ai pensé sur l'instant que ce n'était pas moi et qu'un autre avait pris ma place. Cela m'arrive parfois sans que j'y prenne garde. Mais cet état s'accompagne toujours de bien d'autres sensations. Or là, je me sentais moi-même. Je me suis raisonné. Si ce n'était pas dans ma tête, quelque chose clochait dans le cerveau de ma mère.

L'infirmière auprès d'elle a dit : C'est Eduard ! Vous ne le reconnaissez pas ? Maman a eu l'air surprise. Elle m'a examiné du regard. Elle a bredouillé quelque chose. J'ai compris que c'étaient des excuses. Maman n'a à s'excuser de rien. Ne pas me reconnaître, mon père le fait chaque matin.

Maman a porté son bras droit en ma direction. Sa main a serré mon poignet. Son bras gauche est resté ballant. J'ai demandé à l'infirmière pourquoi. Elle m'a répondu, c'est la nouvelle attaque. Je ne comprends rien à ces histoires d'attaque. J'ai annoncé que je voulais dormir dans la chambre pour défendre ma mère. L'infirmière a souri et dit :

« Tu sais bien que ce n'est pas possible.

— Et pourquoi donc ?

— Ta mère a besoin de repos. Et toi...

— Moi ?

— Toi, tu n'es pas de tout repos.

— Et si on l'attaque à nouveau ?

— Le médecin interviendra

— J'aurais pu l'être, médecin. Les circonstances en ont décidé autrement.

— Je suis sûre que tu aurais fait un bon médecin.

— Si tu es sûre, ne laisse pas l'autre médecin agir.

— Je ferai du mieux possible.

— Le mieux n'est certainement pas l'hôpital. Je sais de quoi je parle.

— Tu sais, ta mère est âgée maintenant.

— Vieille, c'est dans la tête.

— Ta mère ne l'a plus entièrement, sa tête.

— C'est une question d'hérédité. Moi non plus, je n'ai pas ma tête. Et pourtant, je n'ai pas été attaqué. »

L'infirmière quitte la pièce. Je me retrouve seul auprès de ma mère. Maman fixe le plafond. Je fais le tour du lit. Je ramène son bras gauche sur le matelas. Son bras retombe sur le côté. Je le remets en place. Maman tourne la tête en ma direction. Elle semble ne pas comprendre la situation. Je lui recommande de ne pas s'en faire. Elle est droitière quoi qu'il arrive. Elle lève à nouveau le regard. Je saisis la chaise posée contre le mur. Je m'assois près du lit. J'entame la conversation. Je parle de la pluie et du beau temps. Cela ne provoque en elle aucune réaction. J'essaie de parler de ma vie. Maman s'inquiète toujours à ce sujet. Mon ambition dans l'existence reste floue à bien des égards. J'ignore ce que me réserve l'avenir. C'est le lot de chacun, certes, mais le sort s'acharne sur certains plus que sur d'autres. Je choisis de parler de mon amie, Maria Fischer. Je sais que cela fera plaisir à maman qu'une jeune femme s'intéresse à moi. Les mères sont ainsi. Je décris la beauté de Maria. C'est aussi une femme intelligente. J'évoque divers projets qui se précisent dans mon esprit. J'explique qu'un jour, Maria et moi, nous quitterons le Burghölzli. Nous n'avons pas encore décidé de la date. Cela ne saurait tarder. Nous ferons tout dans les règles. Maria poursuit de bonnes relations avec le surveillant Heimrat. Nous irons vivre à Zurich. Le reste du monde paraît trop loin. Nous nous installerons sur les bords de la Limmat. Nous fonderons une famille. Nous aurons trois enfants. Nous exercerons un métier. Nous rentrerons chez nous le soir. Nous dînerons autour de la table. Nous partagerons de beaux dimanches. Le bras gauche de maman retombe. Je me lève pour le remettre en place.

3

L'infirmière lui fait une piqûre de morphine. Lentement la douleur s'apaise. Une sensation de bien-être l'envahit. Elle a l'impression de partir en voyage. Elle marche dans l'air. Elle ne boite pas. Elle est sur le chemin du Burghölzli. Elle avance derrière trois hommes. Elle aperçoit au loin les fenêtres du grand bâtiment. Il fait un temps merveilleux. La rue est inondée de lumière. Les hommes devant elle sont vêtus élégamment. Ils sont jeunes et leur pas est alerte. Elle parvient à les suivre, sans trop forcer sur sa hanche. Elle aussi a rajeuni. Cela doit être l'effet de la piqûre. L'un des hommes se retourne. Il lui sourit. Il dit : Ma Doxerl, nous arrivons. Il arrête sa course. Les deux autres poursuivent. Le jeune homme lui tend une main amicale. Elle aime le sourire affiché sur ses lèvres. Elle admire la lueur dans ses yeux. Elle adore entendre sa voix, surtout lorsqu'il l'appelle ainsi, ma Doxerl. C'est le seul à la nommer ainsi. Jusqu'alors, son seul surnom avait été Mitza. Son père l'appelait Mitza, et son frère Milos, aussi. La petite bande est maintenant dans le jardin du Burghölzli, et Dieu que l'air est pur, que la lumière est vive. Le jeune

homme murmure à son oreille des mots doux.
Elle rit de bon cœur. Il lui déclare adorer quand
elle rit de bon cœur. Elle assure qu'elle rira
quand il le demandera. Elle sait rire aussi bien
qu'elle sait compter. Il avoue qu'il n'a jamais vu
une fille compter aussi bien. Elle demande si elle
compte pour lui. Plus que tout au monde, il
déclare. Ils ont pénétré dans le bâtiment, sont
arrivés dans la salle de conférences. Ils s'assoient
côte à côte. Un enseignant entre, salue, se présente. Il est professeur de médecine. Il annonce
qu'il va parler de l'hypnose. Il assure que ce traitement va révolutionner la vie des aliénés. Il
entame son cours. Elle écoute, perplexe. Puis elle
n'écoute plus. Elle songe qu'il faudrait qu'elle parle
au jeune homme de l'événement qui est advenu.
Que plus rien entre eux ne sera comme avant.
Que quelque chose de plus fort que leurs sentiments est arrivé. Quelque chose qui les unira
définitivement. Elle ignore pourquoi, elle est sûre
que ce sera une fille. Mais elle sera heureuse si
c'est un garçon. Un grand bonheur l'attend, le
plus grand des bonheurs. Ils vivront tous les
trois, elle a choisi le nom, ce sera Lieserl. Puis
viendront des garçons, mais pour le premier, elle
préfère une fille, elle saura mieux y faire. Elle ressent tout à coup une gêne à sa jambe. Les paroles
du professeur se font moins audibles. Elle ne
comprend plus rien à ce qui se dit. Le mal aug-
mente. Elle ne peut empêcher un cri de douleur.
Le cri a fait fuir le jeune homme, disparaître le
professeur, dissiper la lumière, fait tomber
autour d'elle une épaisse pénombre. Des mains
s'appliquent avec douceur à piquer son bras

droit. Elle entend, ce n'est rien, tout cela va passer. Elle entrouvre les paupières et croit apercevoir des flocons de neige battre la fenêtre. Il fait presque nuit au-dehors. Elle espère retrouver au plus vite le chemin du Burghölzli. Elle espère que le jeune homme l'attendra encore. Elle sent ses paupières lourdes. Elle se demande si le cours sur l'hypnose reprend. Elle doit se tenir prête. Il faut qu'elle se relève. Elle tente de s'asseoir. Elle ne parvient pas à se redresser. Elle essaie de s'aider de ses mains. Ses mains ne répondent plus. Elle éprouve la sensation curieuse que son corps entier ne lui obéit plus. Elle ne s'appartient plus. Elle perçoit une sorte d'emballement dans sa poitrine. Une douleur terrible lui déchire le cœur. Elle ne ressent plus rien.

Le surveillant Heimrat a ouvert la porte, est entré dans ma chambre, s'est posté face à moi. J'ai levé les bras au-dessus de mon visage par mesure de protection. Aucun coup n'est parti. Heimrat a déclaré d'une voix inhabituellement douce :

« J'ai quelque chose de triste à t'apprendre.

— Mon père va venir me voir ?

— Quelque chose de pire.

— Je ne vois pas.

— Ta mère est morte, Eduard.

— Cela n'existe pas.

— Comment ça ?

— Ce que vous dites, surveillant Heimrat, n'existe pas.

— Je n'aimerais pas que nous nous disputions, en cette heure, Eduard. Alors je te laisserai croire ce que tu veux. Et si tu préfères ne pas entendre, c'est ton droit.

— Merci de respecter mes droits, surveillant Heimrat.

— Cependant tu dois savoir qu'il y a des règles. Et la règle numéro un ici est que je ne mens pas. Mais je passerai sur le règlement, en ce jour particulier. L'autre règle est que nous ne sommes pas éternels sur cette terre et que ta mère ne déroge pas à cette règle. Cela, il faudra que tu le comprennes.

— Je crois que j'ai compris.

— Qu'as-tu compris exactement ?

— Ce que vous dites sur ma mère.

— C'est bien.

— Faudra-t-il qu'on la mette en terre ?

— Bien sûr, Eduard.

— Devrai-je me rendre à l'enterrement ?

— Non, tu n'es pas forcé. Il ne vaut mieux pas d'ailleurs. Tu iras la voir plus tard.

— Merci de prendre soin de moi, surveillant Heimrat.

— C'est ce que nous devons à tous nos pensionnaires.

— J'ai une question à vous poser.

— Pose.

— Qu'est-ce que je dois ressentir normalement ?

— Personne n'a jamais compris ce que la disparition d'un proche signifiait. Les plus grands sages se sont penchés sur la question. L'homme a inventé les religions pour trouver la consolation de cette immense tristesse. Jusqu'à présent, nul n'a trouvé de réponse satisfaisante. Cela demeure un des plus grands mystères de l'humanité.

— Alors, pour vous, je fais partie de l'humanité ?

— Pleinement, Eduard.

— Même maintenant que ma mère a disparu.

— Cela ne change rien à ton état, Eduard.

— Vous prétendez que cela doit me rendre triste.

— Fondamentalement, cela ne change rien.

— Vous semblez le regretter.

— Peut-être... Tu vois, tu as compris ce qu'étaient les regrets, tu es sur la voie qui mène à la tristesse.

— Je poursuivrai de mon mieux, surveillant Heimrat.

— Je te laisse maintenant. Il faut que tu apprennes à rester seul.

— Vous avez certainement d'autres choses bien plus importantes à faire que moi, surveillant Heimrat. J'aimerais juste savoir une chose avant que vous partiez.

— Dis.

— Quand est-ce que ma mère va venir me voir ? Elle commence à me manquer. »

Il a appris la mort de son ex-femme par un coup de téléphone d'Héléna Hurwitz. Héléna a expliqué que les obsèques seront célébrées au cimetière Nordheim de Zurich selon le rite orthodoxe. Ils ont parlé des derniers instants de Mileva. Il savait depuis déjà des semaines que la fin était proche. Il a exprimé sa tristesse. Il a lancé : « Seule une vie vécue pour les autres est digne d'être vécue. » Puis il a raccroché.

Un pan de sa vie disparaît. Il se remémore la dernière fois qu'il a vu Mileva, leur soirée d'adieu, chez elle, quinze ans auparavant. Il songe à la première fois où il l'a croisée au Polyteknikum voilà un demi-siècle.

Il ne saura dire si tout est passé vite, combien tout lui semble lointain. Après Elsa, Mileva. Ce sera bientôt son tour.

À l'enterrement de maman, il y avait peu de monde. Au milieu de l'été, les gens partent en vacances. C'est la mauvaise saison pour mourir d'une belle mort avec un enterrement à la hauteur.

C'est dommage, tout de même. Si peu de gerbes, si peu de fleurs pour une femme qui adorait les plantes, même si sa préférence allait aux cactus. J'aurais préféré que l'allée soit noire de monde. Que l'on soit venu de la terre entière pour dire adieu. C'est un instant unique dans l'existence.

Il faisait beau. On prétend que la pluie lors d'un enterrement est une bénédiction du ciel. J'espère que le soleil ne maudit pas.

En arrivant au cimetière, j'ai aperçu un homme de dos qui portait un chapeau et avançait lentement. Une fraction de seconde, j'ai cru que c'était mon père. Je n'ai pas pu réprimer une joie immense. J'ai voulu aller lui sauter dans les bras. Je me suis précipité. Arrivé près de lui, je me suis rendu compte que c'était quelqu'un d'autre. J'aurais dû me méfier.

Mon frère aussi était absent. Tu n'assistes pas aux funérailles de ta propre mère ? Tu portes bien ton prénom, Hans-Albert.

À vrai dire, il n'y avait personne de la famille. C'est à se demander s'il me reste une famille, si j'en ai jamais eu une. C'est pourtant dans ces circonstances qu'on compte ses vrais amis.

Nous étions une petite dizaine. C'est vraiment peu pour une femme de cette qualité. Mon père, j'en suis sûr, déplacera les foules.

Le prêtre, un Russe, dénommé Subov, a célébré les obsèques. Il a fait un très beau discours. Il a expliqué que maman connaîtrait le vrai bonheur au royaume des cieux. Les souffrances endurées lui donnaient accès aux portes du Paradis. Elle méritait un repos éternel. En réalité, toute mort est une délivrance, sans doute plus encore pour Mileva que pour les autres. Pour l'âme, c'est une renaissance. Mileva Maric est désormais avec les siens, les âmes charitables. Mileva Maric est de retour parmi les anges. Mileva n'a plus rien à redouter dorénavant. Le temps d'avant est terminé. L'épreuve a trop duré. Mileva Maric vivait dans la prison de son corps, peu à peu elle s'était retranchée du cercle de ses contemporains. Mileva est libre maintenant. Plus rien n'entravera la marche de son esprit. Il n'y a nulle infirme dans le royaume céleste. On ne boite pas à la droite du Seigneur. Le temps du malheur est révolu. J'ai été distrait à cet instant de l'homélie par un je-ne-sais-quoi. Mon attention a été attirée par le fait que la tombe portait le numéro 9357. J'ai aussi remarqué qu'à droite de maman reposait un dénommé Geza Ritter, à gauche un certain Jakob Serena. Je me suis approché de la tombe de Geza Ritter. Nous sommes restés longtemps face à face. Quand je me suis retourné, des gens jetaient une poignée de terre dans un trou. Le prêtre m'a demandé de faire de même. J'ai obéi. J'aime la sensation d'avoir les mains pleines de terre.

Les quelques présents m'ont ensuite embrassé tour à tour en tenant des paroles de réconfort. Je n'ai pas compris pourquoi.

Un homme vêtu comme s'il était de sortie, d'un costume trois pièces, s'est présenté à moi. Il a affirmé se nommer Heinrich Meili et être mandaté par mon père. J'ai eu un mouvement de recul. Il a souri. Il a affirmé être mon tuteur officiel. Il a précisé qu'il était juriste zurichois de formation comme s'il voulait m'en remontrer. J'ai répondu que j'avais fait ma première année de médecine. Il a souri. Il a expliqué que dorénavant, il s'occuperait de mes intérêts. J'ignorais que j'avais des intérêts. Il a terminé en disant que nous en reparlerions, ce n'était pas le lieu. Je croyais que c'était le lieu.

Puis le père Subov s'est approché et m'a pris à part. Il m'a étreint longuement comme si nous étions proches. Il a commencé à me parler et m'a appris que j'avais le droit d'être triste.

« La tristesse est un sentiment que je ne maîtrise pas bien, mon père. Je suis plutôt porté au désespoir et aux grandes colères. Je ne fais pas dans la nuance.

— Tu apprendras.

— Les larmes ne me viennent pas facilement. Dois-je me forcer ?

— Montre-toi patient.

— J'ai peur d'oublier maman si je laisse passer trop de temps.

— On n'oublie pas.

— Vous me rassurez, je croyais n'être pas normal.

— Tu es normal.

— Ce n'est pas ce qu'on dit... Si je vous ai bien compris, je ne reverrai jamais ma mère ?

— Dans l'au-delà, nous nous retrouverons.

— Comment la reconnaîtrai-je là-bas ? Aura-t-elle gardé son apparence humaine ? Est-ce que sa mort est définitive ? Dois-je attendre ma mort pour espérer la revoir ? Dois-je espérer ma mort ?

— Tu poses des questions que posent les enfants.

— On me reproche d'avoir gardé une âme d'enfant.

— Tu as une âme pure.

— On la dit malade depuis des années.

— Eduard, as-tu la foi ?

— Je ne ressens rien de particulier.

— Écoute simplement ton cœur.

— Mon cœur bat, mon père, je l'entends.

— Tu es sur la voie. »

Il m'a à nouveau serré contre lui. Puis il est parti. Je me suis retrouvé seul au milieu des tombes. Je me suis senti perdu. J'ai commencé à appeler ma mère comme toujours dans ces cas-là. Aucune réponse ne me revenait en écho. J'ai crié plus fort. Rien. Peut-être était-ce ce que le prêtre avait nommé le néant. Je suis retourné là où il avait fait son discours, au dernier endroit où j'avais entendu parler de ma mère. L'endroit était recouvert d'un tas de graviers blancs. Je me suis demandé si la réponse était là, sous la terre, puisque des cieux ne provenait aucune réponse. J'ai commencé à creuser avec mes mains. J'ai réussi à faire un petit trou. Deux hommes, en costumes sombres, ont surgi dans mon dos, m'ont saisi, chacun par une épaule. L'un d'eux a lancé : « Après la mère, on transporte le fils. » Je n'ai pas compris ce qu'ils voulaient dire. Je me suis débattu. On m'a ceinturé puis j'ai été reconduit au Burghölzli en bonne et due forme.

Le cimetière Nordheim, à Zurich, je ne le souhaite à personne pour l'enterrement de sa mère.

PRINCETON – BURGHÖLZLI

1

Il veillera désormais au confort d'Eduard. Mais
il ne quittera pas Princeton. Il ne prendra pas
l'avion. Il n'atterrira pas à Zurich. Il n'empruntera pas un taxi. Il ne donnera pas au chauffeur
la direction du Burghölzli. Il ne frappera pas à
la grande porte. Il ne signalera pas son nom. Il
ne demandera pas à voir Eduard. Il n'entrera pas
dans l'enceinte escorté d'un infirmier. Il ne traversera pas le jardin. Il ne pénétrera pas dans le
bâtiment. Il ne longera pas le grand couloir. Il
ne croisera pas des fous par dizaines. Il ne sera
pas reçu au préalable par le médecin-chef. Il ne
s'entendra pas dire, tous les traitements ont
échoué. Depuis quand ne l'avez-vous pas vu ?
1933 ? Attendez-vous à un choc, peut-être n'allez-
vous pas le reconnaître au premier abord,
Eduard a tellement grossi, il a seulement trente-
cinq ans, il en paraît cinquante, vous connaissez
la maladie, elle n'altère pas seulement les fonctions psychiques. Peut-être lui-même ne vous
reconnaîtra-t-il pas ? Ou peut-être vous sau-
tera-t-il à la gorge à peine vous paraîtrez ? Il
peut se montrer d'une cruauté extrême. Il tient
à votre égard des propos d'une grande violence.

Il n'entrera pas dans le monde de son fils. Ce monde n'est pas le sien. Ce monde n'est pas le monde. Ce monde le terrorise. Il doit l'admettre. Il a peur. Voyager lui fait peur. Retrouver son fils le remplit d'effroi. Il doit assumer la terrible vérité. Voir son fils lui est plus douloureux que ne pas voir son fils. Comment imaginer cela ? Comment admettre cela ? Comment l'avouer à quiconque ? Il a peur de son ombre. Son ombre, sa descendance. Sa descendance qui vit à l'ombre. À perpétuité. Hans-Albert lui a révélé combien était terrible d'avoir vécu à l'ombre d'un homme nommé Einstein. Hans-Albert lui a signi-fié sa douleur de s'entendre dire, partout, lorsqu'il révèle son identité : Si Einstein avait un fils cela se saurait, comment pouvez-vous affir-mer être le fils d'Einstein ? En aucun endroit il ne parle de ses fils. Ses fils n'occupent que quelques lignes dans les nombreuses biographies qui lui sont consacrées. Et jamais on n'y men-tionne le mal qui frappe le cadet. Pas la plus petite allusion. La honte de la famille. Comme si la maladie d'Eduard représentait une sourde menace. Eduard erre dans les ténèbres. Les ténèbres de l'esprit et ceux du Burghölzli quand la nuit vient à tomber.

Il laissera entre eux deux une distance infinie. Il veut garder l'image de son fils au jour de sa dernière visite. Il souhaite emporter ce portrait-là dans la tombe. C'est un vieil homme. Il a soixante-six ans. Il n'a pas le courage d'affronter la réalité. Il appréhende cette réalité. Il connaît la vérité. Il sait ce qu'il va découvrir. Il ne veut pas de cette découverte. Il pense que sa visite ne changera rien. Qu'elle ne fera qu'ajouter du malheur au malheur. Il préfère laisser un océan entre son fils et lui.

Quelques années auparavant, il avait écrit à Michele Besso :

> *Il est vraiment désolant que le jeune homme soit obligé de traîner une vie sans l'espoir d'une existence normale. Depuis que le traitement à l'insuline a définitivement échoué, je ne compte plus sur le secours de la médecine. D'ailleurs, je ne fais pas grand cas de cette corporation et je trouve qu'à tout prendre, il est préférable de ne pas molester la nature.*

Il n'est nulle question de nature. Il est question de courage. Il a eu tous les courages. Braver la Gestapo, soutenir, un des premiers, la cause des Noirs, aider à la création de l'État juif, braver le FBI, ne pas baisser l'échine, ne jamais renoncer, écrire à Roosevelt pour construire la bombe contre l'Allemagne et écrire à Roosevelt pour arrêter la bombe destinée au Japon. Soutenir les juifs opprimés par le Reich. Pétitionner. Être en première ligne. Mais aller voir son fils est au-dessus de ses forces. Il a trouvé ses limites. Seul l'univers ne connaît pas de limites.

Je ne pourrais dire à quand remonte la disparition de ma mère. Parfois il me semble que c'était hier. Parfois j'ai l'impression que cela fait de nombreux mois. Si elle était encore de ce monde, maman pourrait répondre à la question. Elle avait réponse à tout. Depuis qu'elle m'a quitté, j'ai perdu mes repères. Sa mort a tout emporté.

Ce dont je me souviens c'est la rudesse des premiers temps en son absence. Il paraît que c'est normal. Je voyais son visage partout. Cela aussi semble très commun. Alors pourquoi avoir multiplié les séances d'électrochocs ? On m'explique encore aujourd'hui que voir partout le visage de sa mère ne signifie pas de parler à sa mère nuit et jour, et d'exiger une réponse en se frappant jusqu'au sang la tête contre les murs. Alors, à quoi cela sert-il ? Quand vous avez des visions, vous avez des visions. Si vous voyez votre mère, vous lui parlez ! Vous l'interrogez. Au Burghölzli, ils ne sont pas capables d'entendre ça. Et ils se targuent d'être fins psychologues !

Au fil du temps, maman a peu à peu cessé de prendre le visage des personnes que je croisais.

Je ne m'adressais plus à elle à tout bout de champ. On me réprimandait moins. La vie devenait plus facile.

À la clinique, on m'aurait volontiers laissé sortir. Hélas je n'avais nulle part où me rendre et l'administration reste très à cheval sur le règlement. On ne laisse pas dans la nature un type comme moi. Je me demande bien ce qu'on redoute.

J'aurais pu croupir au Burghölzli et y finir mes jours. Heureusement, on m'a trouvé une famille d'accueil. Ça ne remplace en rien une personne disparue. Mais cela vous offre un toit et l'opportunité de quitter l'univers psychiatrique qui n'est pas aussi hospitalier qu'on le prétend.

La famille où je loge habite sur une colline des environs de Zurich dont je tairai le nom pour préserver son anonymat. J'y fais des séjours réguliers, tantôt longs, tantôt courts. Cela ne dépend pas de moi mais des loups qui rôdent autour de la maison. Lorsque j'entends des hurlements ou que je crois deviner les silhouettes sortant des bois, on me reconduit à la clinique. Lorsque aucune bête sauvage ne vient déranger la tranquillité des lieux, je peux rester à demeure.

Ce sont des gens charmants qui m'offrent le gîte et le couvert alors que je n'ai rien demandé. Ils ne m'ont jamais battu et je crois qu'ils ne savent même pas que ça existe. De nombreux enfants jouent dans leur jardin et l'on me laisse jouer avec eux. Je crois que c'est la plus grande marque de respect que l'on puisse témoigner à un type comme moi. Avant, les gens craignaient toujours pour leurs progénitures. Pourtant excepté à ma propre personne, je n'ai jamais fait de mal à quiconque, a fortiori des enfants. J'aime regarder jouer les enfants. Ils parlent de construire un château. Hop, ils vivent dans un château. Ils disent, je suis le roi de Transylvanie et toi un vampire, et les voilà transformés. Les enfants sont tout à fait normaux. Et ce sont des personnes très douces comparativement aux adultes, notamment à Gründ et à Forlich même s'ils ne sont pas le meilleur exemple. La vie m'a appris que rien n'était définitif. Pourtant je crois savoir que je n'aurai jamais d'enfants. C'est sans doute la meilleure façon d'éviter d'être père.

2

Le *New York Post* en date du 12 février 1950 titrait : « Déportez l'imposteur rouge Einstein ! » Il est devenu un ennemi de l'Amérique. À soixante-dix ans passés, une cible privilégiée du pouvoir. Dans le *Dallas Times Herald*, le sénateur du Mississippi, John Rankin, déclare : « On aurait dû expulser Einstein il y a des années en vertu de ses activités communistes. » Ce même John Rankin a lancé, devant des sénateurs républicains : « Le peuple américain comprend, petit à petit, qui est vraiment Einstein... Dans le but de répandre le communisme à travers le monde, cet agitateur d'origine étrangère utilise le courrier pour récolter de l'argent destiné à nous manipuler... J'en appelle au procureur général pour qu'il entrave la marche de ce dénommé Einstein. »

Le maccarthysme a perverti les consciences. Un climat de délation règne dans le pays. Dans chaque université, on invite les professeurs à dénoncer leurs confrères. Ses proches sont accusés d'espionnage au profit des Soviétiques. La moindre déclaration de soutien à un mouvement pacifiste, la plus ancienne adhésion à une organisation de gauche peut conduire devant une sous-commission, mener au ban de la société. Le simple soutien dans les années trente aux républicains espagnols est considéré comme un acte de haute trahison. Il a écrit à son amie, la reine de Belgique : « Le fléau allemand d'il y a quelques années s'abat de nouveau ici. Les gens acquiescent et s'alignent sur les forces du mal. Partout ce n'est que brutalité et mensonges. Et on reste là, impuissants. » Le secrétaire d'État Dulles a admis à la une du *New York Times* qu'après examen, des livres de quarante auteurs suspects d'intelligence avec l'URSS ont été brûlés par les fonctionnaires d'État. Dans les écoles, les enseignants prêtent serment de fidélité. Il revit les heures sombres. Son ami Oppenheimer est traqué. La chasse aux sorcières bat son plein. Il est à nouveau un gibier de potence.

On l'accuse d'être le propagandiste de Staline – il a toujours refusé de se rendre en URSS. Il n'a écrit que deux lettres à Staline, une lettre de soutien à Trotski en fuite, une demande de libération de Raoul Wallenberg, ce Suédois qui avait sauvé 20 000 juifs hongrois et qui s'était retrouvé prisonnier de la Loubianka. La presse a récemment ressorti un vieil article censé l'accabler, publié dans le premier numéro de la *Monthly Review*, intitulé « Pourquoi le socialisme ? » et où il expliquait : « Le laisser-faire de la société capitaliste actuelle est selon moi la véritable source du mal. » C'est un ennemi du capitalisme. Un ennemi des États-Unis.

John Edgar Hoover a juré sa perte. Il se murmure que le dossier Einstein au FBI serait plus épais que la Bible. Il lui faudra quitter le pays si la campagne orchestrée contre lui prend de l'ampleur. « Déportez Einstein ! » Aurait-il pu imaginer de telles manchettes, ici, en Amérique, vingt ans après celles des journaux nazis ? Il a écrit à Otto Nathan :

Je ne peux plus m'adapter aux gens d'ici, ni à leur mode de vie ; j'étais déjà trop vieux pour y parvenir quand j'y suis arrivé ; et à vrai dire, ce n'est guère différent à Berlin et avant cela, en Suisse. On naît solitaire.

Le mois passé, à la suite de douleurs intolérables, les chirurgiens lui ont ouvert le ventre. Ils ont refermé sans intervenir après avoir diagnostiqué un volumineux anévrisme de l'aorte. On ne sait pas opérer ce genre de maladie. Les parois du gros vaisseau sont distendues. Un jour elles se rompront. Le sang inondera ses organes. Son cœur se videra de lui-même. L'hémorragie interne sera fatale. Une bombe à retardement grossit dans son abdomen. Le jour de la fissure, il mourra.

Parfois, lorsqu'il est allongé, il pose sa main sur son ventre, il sent une masse. Cette masse bat au rythme de son cœur. Elle fera que son cœur cessera de battre.

Il songe à Eduard, à ce qu'il adviendra alors de son fils. Après le décès de Mileva, Eduard a connu une période très difficile. Il se porte mieux aujourd'hui. Il a été autorisé à sortir du Burghölzli. Eduard fait des allers-retours entre la clinique et une famille d'accueil, sur les hauteurs de Zurich. Les nouvelles données par Besso et

Meili laissent entendre qu'il y est bien. Eduard donne des concerts pour les enfants dans un presbytère. On lui a assigné une tâche : il remplit des enveloppes. Pour la première fois de son existence, Eduard a un travail. Eduard est accepté dans la communauté des hommes.

Un matin du mois de juillet, le surveillant Heimrat en personne s'est présenté à la porte de la maison de ma nouvelle famille et a demandé à me voir. Il arborait un large sourire. Je l'ai accompagné dans sa propre voiture, je ne savais même pas qu'on pouvait en avoir une à soi. Heimrat m'a conduit à la clinique. C'était une fichue sensation de rentrer au Burghölzli autrement qu'en ambulance. Une fois la voiture garée, le surveillant Heimrat a dit :

« Je préfère te prévenir parce que je veux t'éviter les émotions fortes. Sais-tu quel jour nous sommes ?

— Vous savez bien que j'ai perdu la notion du temps dans le passé.

— Nous sommes le 23 juillet. Tu sais ce que cela signifie ?

— Je me souviens être né le 23 juillet, mais c'était il y a longtemps.

— Nous sommes le 23 juillet 1950, Eduard. Tu es né le 23 juillet 1910, cela signifie qu'aujourd'hui tu as quarante ans.

— Vous voulez dire que c'est comme mon anniversaire ?

— Absolument. »

J'avais les larmes aux yeux devant tant d'attention à mon seul égard et le surveillant a préféré que l'on sorte de la voiture pour m'éviter tout débordement. Il sait que je peine à contrôler mes émotions. Nous sommes entrés dans le bâtiment, nous avons traversé le grand couloir, sommes montés à l'étage en direction de la salle de réception. Le surveillant Heimrat a poussé la porte et là, je trouve, alignés face à moi, le docteur Minkel, Gründ et Forlich, Hebert Werner, Alfred Metzger et Maria Fischer ! Ils entonnent un « Happy birthday, Eduard » ! Derrière eux il y a des flonflons et au mur est cloué, fabriqué en papier kraft, le chiffre 40 comme le 40 de mon âge ! J'ai le droit de boire une coupe de champagne malgré l'alcool qui m'est interdit. Tout le monde m'a embrassé, même Gründ. Les invités sont restés à discuter entre eux quelques minutes et Maria s'est approchée de moi, a planté son regard dans le mien, a murmuré, voilà mon cadeau, Eduard. Elle a déposé ses lèvres sur les miennes. Je n'en suis toujours pas revenu. Quelques instants plus tard, le surveillant Heimrat a dit, allez, Eduard, il faut que je te ramène. Nous avons repris la voiture et nous sommes repartis.

Une fois devant la maison d'accueil, le surveillant Heimrat m'a tendu un paquet en disant que c'était son cadeau. J'avais mon émotion à son comble. J'ai ôté délicatement le papier, l'ai plié en quatre, l'ai rangé dans ma poche, et j'ai découvert le livre qui m'était offert. Sur la couverture, il y avait une photographie de mon père. Ma première pensée a été de déchirer l'ouvrage. J'ai ensuite réalisé que, depuis la disparition de ma mère, personne ne m'avait offert de cadeau et que, peut-être, durant le reste de mon existence, personne ne m'en offrirait plus. J'ai rangé ma colère et j'ai remercié le surveillant Heimrat.

« Je savais que cela te ferait plaisir », a-t-il répondu.

Sur la photo, j'avais du mal à reconnaître mon père. On aurait cru un vieillard avec son front terriblement ridé et ses cheveux blancs. Comme je ne me souvenais plus de quand datait la dernière fois que je l'avais vu, j'ai posé la question. Le surveillant Heimrat a réfléchi. Il se rappelait seulement que j'étais entré au Burghölzli quand j'avais vingt ans. J'en ai quarante. J'avais donc vécu la moitié de mon existence au Burghölzli, et l'autre moitié au-dehors. J'ignore, de ces deux périodes, laquelle je dois considérer comme la plus heureuse de ma vie. J'ai détesté mon enfance. Mais les électrochocs ne laissent pas non plus de souvenirs impérissables. J'ai demandé au surveillant Heimrat quelle période de la vie il fallait préférer. Il a dit sans hésiter : l'instant présent. Cela semblait évident mais comment penser à l'instant présent ? Je ne veux pas philosopher.

Nous nous sommes quittés avec le surveillant Heimrat. Je me suis précipité dans la chambre qui m'est allouée et j'ai commencé à lire l'ouvrage. C'était toutes sortes de pensées en vrac. Sur tous les sujets, une idée. J'ignorais qu'on publiait ce genre de choses. Qu'il y ait des personnes pour les acheter. Les gens apprennent-ils les citations de mon père par cœur pour les réciter lors des dîners et briller aux frais d'un autre ? Ou bien en font-ils une ligne de conduite ? Une morale à disposition ? J'ai entendu un certain nombre de paroles dans la bouche de mon père et aucune d'entre elles ne méritait d'être consignée. Ou bien j'ai oublié lesquelles. Cela fait un grand nombre d'années que tout cela s'est produit.

Mon père a dit : « Je détermine l'authentique valeur d'un homme d'après une seule règle : à quel degré et dans quel but l'homme s'est libéré de son moi. » Je suis enfermé dans mon moi. Mon moi me dévore et m'entrave. Je suis le degré zéro de mon père.

Mon père a dit : « Celui qui ressent sa propre vie et celle des autres comme dénuées de sens est fondamentalement malheureux, puisqu'il n'a aucune raison de vivre. » Qui pourrait trouver un sens à ma vie ? Il faudrait être fou.

Mon père a dit : « Il n'existe pas d'autre éducation intelligente que d'être soi-même un exemple. » Cause toujours.

Mon père a dit : « Je n'approuve pas que des parents exercent une influence sur les décisions de leurs enfants lorsque celles-ci peuvent déterminer le cours de leur existence. » Mon père a respecté ses engagements. Il n'est jamais intervenu, il n'a exercé d'influence sur aucune de mes décisions. Je ne sais si je dois le regretter.

Mon père a recommandé à un jeune homme qui lui demandait conseil sur un litige avec ses parents : « Si vous voulez prendre une décision avec laquelle vos parents sont en désaccord, posez-vous cette question : suis-je assez indépendant au plus profond de moi-même pour être capable d'agir à l'encontre des désirs de mes parents, sans perdre mon équilibre intérieur ? » J'ai toujours agi à l'encontre du désir de mon père. Je n'ai jamais eu d'équilibre intérieur.

Mon père a dit : « Si j'étais jeune homme et avais à décider de faire ma vie, je ne voudrais point tenter de devenir un savant, un universitaire, un professeur. Je choisirais plutôt d'être plombier, ou colporteur, dans l'espoir de trouver dans ce modeste degré l'indépendance. » Je crois avoir pratiquement réalisé le rêve de mon père.

Mon père a dit : « Je dois avouer que l'estime exagérée où l'on tient l'œuvre de ma vie me rend très mal à l'aise. Je suis obligé de me voir comme un escroc involontaire. » Cher père, de ce que j'entends parfois dire sur toi, de ce que je lis dans certains journaux qu'on m'apporte, beaucoup de gens te considèrent comme tu te vois.

Mon père a dit : « Quiconque ne prend pas soin de la vérité dans les petites choses ne peut inspirer confiance dans les affaires d'importance. » Mon père a menti.

Mon père a dit : « N'y a-t-il pas une certaine satisfaction dans le fait que des limites naturelles soient portées à la vie de l'individu, de sorte qu'à sa fin elle apparaisse comme une œuvre d'art. » Je ne serai pas une œuvre d'art.

J'ai cependant trouvé une phrase de mon père qui me parlait et dont j'ai eu l'impression sur le moment qu'elle pouvait avoir été écrite autant à son intention qu'à la mienne. Qu'il avait peut-être songé à moi en l'écrivant, et également à son comportement à mon égard. Sa grande distance à tous les sens du terme. Sans doute je me trompe. Si mon père pensait à moi, cela se saurait. La moindre de ses pensées est connue du monde entier. Celle-là serait remontée jusqu'à moi. Mon père a dit : « L'essentiel dans l'existence d'un homme de mon espèce réside dans ce qu'il pense et comment il pense, non dans ce qu'il fait ou souffre. » Merci du compliment, papa.

3

Vu de Princeton, et considérant la distance, il ne parvient pas à comprendre les motivations exactes du dénommé Carl Seelig. L'homme a fait irruption dans sa vie récemment. Carl Seelig se prétend écrivain et journaliste et est une sorte de dilettante un peu mécène, du milieu aisé de Zurich. Comme titre de gloire, Seelig annonce avoir connu et longtemps correspondu avec Stefan Zweig et Max Brod. Il a fait part de son intention d'écrire une biographie. Il sollicitait son autorisation. Il agissait ainsi comme des dizaines d'autres qui, chaque année, depuis des décennies, lui demandaient portraits ou interviews. Chacun a son avis sur lui. Chacun compte une anecdote à son sujet. Quel homme bénéficie d'un tel traitement ? La photo de ses soixante-douze ans a fait le tour du monde. On l'interprète comme une provocation d'enfant terrible. Il n'a fait que tirer la langue au photographe parce qu'il était las de poser pour l'objectif. Finalement les temps n'ont guère changé depuis que le mufti de Jérusalem l'accusait de vouloir détruire la mosquée d'Omar. Il est toujours au centre d'une quelconque polémique.

Certains lui reprochent son sionisme. D'autres, ses réserves à l'égard de la politique du nouvel État juif. La bombe atomique américaine, c'est de sa faute. La bombe soviétique aussi. Vous donnez des leçons à la terre entière. Vous vous voulez la conscience de l'Amérique. Vous critiquez la nation américaine, vous accusez le gouvernement Johnson, vous méprisez le sénateur McCarthy, vous en appelez à une gouvernance mondiale. Vous êtes américain depuis une douzaine d'années, vous devriez dire merci et vous taire. Vous croyez-vous au-dessus des nations, vous pensez-vous au-dessus des lois ?

Il se moque des vérités qui courent sur son compte. Il ne veut garder qu'un seul secret. Il ne parlera jamais de Lieserl.

Frieda, sa belle-fille, s'est rendue à Zurich. En rangeant les affaires du 62, Huttenstrasse, elle a découvert la correspondance entre Mileva et lui. Ces lettres révèlent l'existence de Lieserl. Elle menace de les publier. Frieda a également découvert 80 000 francs suisses en billets, dans une boîte à chaussures. Une fortune. Mileva l'accusait sans cesse de ne pas lui donner assez. Mileva s'indignait qu'on ait pu la mettre sous tutelle après sa première attaque.

Ce Carl Seelig semble être un honnête homme et paraît d'une grande bienveillance. Michele Besso le lui a confirmé, Seelig a déjà commencé à interroger des proches. Il a entamé un travail des plus sérieux. Seelig a interrogé un à un les témoins vivant en Suisse. Il a rencontré anciens professeurs et plus vieux amis. Il a affirmé qu'il voudrait rétablir des vérités, aller à l'encontre de ce qui s'est écrit dans les autres biographies, parce que, affirme-t-il, « tout n'est pas correct ni exact concernant la période suisse » et ce, dans « une petite publication qui se garderait de tout culte de la personnalité comme de tout ragot ». Il a accepté sans trop d'hésitation. Et Seelig a poursuivi son travail.

La lettre qu'il reçoit ce matin de ce monsieur Seelig va toutefois bien au-delà de celle d'un simple biographe.

> *Zurich, 6 mars 1952*
> *Cher Professeur,*
> *Depuis près de vingt ans je suis le tuteur et l'unique ami du plus original des poètes suisses, Robert Walser, qui vit depuis un quart de siècle dans un asile d'aliénés. De tels êtres me sont plus chers que ceux qu'on qualifie de « normaux », m'accorderiez-vous l'autorisation l'honneur et la joie de prendre contact avec votre fils Eduard ? Peut-être pourrais-je m'en faire un ami, si je l'invite de temps en temps pour un bon repas dans un restaurant ou si j'entreprends une promenade en sa compagnie, comme je fais avec Robert Walser plusieurs fois par an ; et c'est alors à moi, bien souvent, que l'on fait un cadeau, dans le sens spirituel de ce mot.*
> *J'ai observé la même chose chez d'autres malades mentaux : la plupart du temps, les psychiatres les traitent de la mauvaise manière, c'est-à-dire comme des malades. Je fais toujours comme s'ils étaient normaux et j'ai découvert que nulle part leur esprit et leur âme ne*

s'ouvrent mieux qu'au cours de longues prome-
nades. Entre quatre murs ils deviennent butés
et rebelles.

Qu'en pensez-vous ?

Je vous adresse, mon cher professeur, l'expres-
sion de mes sentiments les plus dévoués.

Carl Seelig l'intrigue. Pourquoi est-il si attiré par le monde des malades mentaux ? Seelig parle de cette pathologie comme d'un cadeau alors que lui la considère comme une malédiction. Seelig propose de faire de longues promenades avec Eduard quand la seule idée de voir Eduard le terrifie lui, son propre père ?

Cet homme, surgi du néant, a fait remonter les eaux du passé. Seelig demande d'être le tuteur de son fils comme si son fils était orphelin, comme si lui-même n'existait pas.

Il a décidé de lui répondre. Le plus honnête-ment possible. Tandis qu'il ne s'est jamais expliqué sur son comportement avec quiconque, il éprouve le besoin de se justifier devant cet inconnu qui vit à l'autre bout du monde. Cet homme le confronte à quelque chose qu'il avait toujours réussi à fuir.

Il se demande d'abord pourquoi il ne s'est jamais ouvert à son ami et confident Michele Besso de la vraie nature de son rapport avec son fils. Sans doute aurait-il dû expliquer à Michele la profondeur de sa douleur. L'instant n'est jamais venu. Les mots ne se sont pas formés. Il n'a jamais pu surpasser sa peur. Au fond, son chagrin était insurmontable. Il ne s'arroge pas le droit d'être triste. Il ne s'accorde pas ce genre de faiblesse. Il ne veut pas diluer le malheur à confesse.

Il sait que sa douleur n'est pas féconde. Il a figé en lui l'éternel chagrin. Il arbore toujours ce joyeux masque de pierre, ce sourire immuable, et ces yeux rieurs où l'on croit deviner la marque du bonheur. Il enterre les mauvais souvenirs, change l'amertume et la désolation en frivolité, recouvre ses drames sous son humour grinçant, cette ironie facile dont le monde est si friand, à laquelle il s'abandonne avec tant de délices.

Toute sa vie aura été un combat pour changer l'ordre des choses. Rien ne peut changer le désordre d'Eduard.

Il est le père d'Eduard. Qu'est-ce que cela signifie ? Les pères engendrent les fils. Mais ce sont les fils qui rendent père leur géniteur, qui font d'eux des hommes. Aux yeux d'Eduard, il n'a toujours été qu'un monstre. Qu'importe que le garçon ait entrevu son vrai visage ou bien que cette image fût le reflet de la folie. Il ne peut se reconnaître dans cette vision d'horreur. Il n'a pu se construire une image du père.

Il ne montrait guère de prédisposition. Il n'a pas l'esprit de famille, pas l'âme d'un chef de clan. C'est un loup solitaire. Il est né au milieu des forêts de Bavière. Il vivait en sauvage, à l'écart, enfant. Il a échappé aux meutes en Allemagne. Il est pourchassé jusqu'à ce jour, ici.

Il évitera le face-à-face. Il continuera à se comporter en lâche. Il n'a pas redouté les juridictions d'exception de Goebbels ou de McCarthy. Mais il ajourne sans cesse les retrouvailles avec son fils. Cette faute lui appartient et lui échappe. Il fuit.

Il a toujours été sur le chemin de l'exil. Il ne s'est jamais retourné. Même au faîte de sa vie, il ne jette pas un regard derrière lui. Revenir à Zurich serait mourir. Voir Eduard serait mourir. Et bientôt il sera mort. Un voyage en Europe rouvrirait des plaies jamais cicatrisées. Sa vieille blessure de père. Quelque chose d'irréparable est arrivé par sa faute. Il a donné vie au grand malheur sur terre.

Eduard est un vivant reproche.

Il ne parvient pas à accepter être l'auteur de ses jours. Ces années de terreur, cette vie de misère. Il est allé chercher dans les gènes, il accuse sa femme. La famille de sa femme. La sœur de sa femme. Il lui faut un coupable. Il ne comprend pas un monde sans cause. Le monde est noir ou blanc. Il doit toujours choisir un camp. S'engager quelque part. Agir sans cesse.

L'irréversibilité est la clé de toute douleur.

Après le décès de Mileva, il a écrit à Heinrich Meili :

Ma première épouse a eu sa large part de difficultés avec les soucis constants que lui donnait son fils incurable.

Au fond, certains jours, dans son esprit, Eduard n'est pas son fils.

Un homme en chute libre n'a pas conscience de son corps, ni de la vitesse des corps qui l'entourent.

Il prend du papier, sa plume et commence à écrire :

Princeton, 11 mars 52

Cher Monsieur Seelig,

Votre offre généreuse, de prendre soin de mon fils, je vous en remercie très vivement. Ce fut un enfant précoce, sensible et doué ; c'est vers dix-huit ou dix-neuf ans qu'il est devenu schizophrène. Son cas est relativement bénin, si bien que la plupart du temps, il peut passer sa journée en dehors d'une institution. D'un autre côté, il est tout à fait incapable de s'insérer dans la vie professionnelle. Il y a là de puissantes inhibitions émotionnelles dont la nature demeure impénétrable, du moins au profane.

La schizophrénie était dans la famille de ma femme et j'en ignorais tout lorsque je me suis marié.

Il s'interrompt, regarde au-dehors. Il pressent qu'il peut faire confiance à Seelig. Il est sûr que les lignes écrites ne seront pas retranscrites dans la biographie en préparation. Seelig gardera le silence sur la maladie d'Eduard. Seelig perpétuera la légende Einstein, derrière laquelle il veut finir ses jours.

Il éprouve le soudain besoin de se confier à cet étranger, qui vit de l'autre côté de l'Atlantique. Il a besoin sur l'instant de justifier ses actes. Il poursuit :

Cela vous étonnera que je n'entretienne pas de relations épistolaires avec Teddy. Il y a, là derrière, quelque chose que je ne suis pas capable d'analyser entièrement. Mais il faut dire aussi que je crois éveiller en lui des sentiments douloureux, de diverses natures, du seul fait que je me manifeste à lui.

Il veut maintenant avouer le fond de sa pensée, l'ampleur de son désespoir et de son impuissance. Il écrit :

Mon fils est le seul problème qui demeure sans solution. Les autres, ce n'est pas moi, mais la main de la mort qui les a résolus.

J'aime courir sur les rives de la Limmat aux
côtés d'Ajax. Je précise qui est Ajax, ou l'on va
encore me prendre pour un toqué. Ajax est le
chien de M. Carl Seelig, un dalmatien splendide
âgé de six ans. Mais comme il faut multiplier par
sept, nous avons sensiblement le même âge,
même s'il fait beaucoup plus jeune. J'explique qui
est monsieur Carl. Carl Seelig est mon ange gardien. Il est zurichois de naissance et d'adoption.
Il possède une famille et une grande aisance
financière. Tout l'inverse de moi. Une fois par
semaine, il vient me chercher au Burghölzli sans
que j'aie rien fait de bien. Parfois nous allons
déjeuner, toujours dans d'excellents restaurants,
où il a ses entrées. On lui donne du monsieur
Seelig à tout propos et on me salue comme si
j'étais à la hauteur. Un jour, on nous a photo-
graphiés. Je mangeais une énorme glace, on peut
le constater. Personne ne m'avait pris en photo
à l'âge adulte. J'espère que cette image ne tom-
bera pas entre les mains de mon père. Je me
goinfre et je suis gros même si la moustache
me va. Sur cette photo, vous aurez aussi une idée
de qui est Carl Seelig parce que je ne suis pas

très doué en description physique. Alors que je traduis bien les sentiments.

Monsieur Carl m'a aussi conduit au théâtre deux fois. Nous avons vu *Tartuffe* de Molière et *Le Songe d'une nuit d'été*. J'aimerais bien voir *Hamlet*. J'ai cru comprendre que ce n'était pas dans mes cordes.

Avec monsieur Carl, nous discutons de tout et de rien, une conversation toujours d'un excellent niveau. Cela me change d'Herbert Werner, sans parler de Gründ et Forlich. D'autres fois, nous prenons le train. Nous allons faire de longues marches. Nous allons à Saint-Gall, nous traversons le Wienerberg. Nous sommes montés au milieu des vignes vers le Castel Weinstein. Monsieur Carl affirme que le grand air me fait du bien.

Monsieur Carl évoque souvent un autre de ses protégés, M. Robert Walser, qui est écrivain et aliéné comme moi. Monsieur Carl s'occupe de lui aussi bien que de moi et lui rend très souvent visite. Ils partagent également une correspondance. Monsieur Carl m'a offert deux livres écrits par Robert Walser *Les Enfants Tanner* ne m'a pas inspiré. *La Pension Benjaminata* m'a beaucoup parlé. Monsieur Carl prétend que Robert Walser est considéré comme un grand écrivain par ses pairs, même Kafka que mon père avait rencontré, d'après mes souvenirs, l'année de ma naissance où il était à Prague. J'ai déjà mentionné que c'était un père absent. Maintenant c'est l'homme invisible.

J'ai avoué à monsieur Carl que j'écrivais aussi. Il a demandé à me lire. Je lui ai donné quelques-uns de mes poèmes. J'avais déjà envoyé un recueil entier à mon père dans l'idée qu'il les publie vu son influence et j'ai essuyé un refus. Mon père a honte de moi. À moins que ce ne soit de la jalousie. Monsieur Carl m'a promis qu'il ferait son possible pour que mes textes voient le jour. Je lui ai expliqué qu'ils existaient déjà par le seul fait d'être écrits. Je me moquais qu'ils soient lus par le plus grand nombre qui n'est jamais d'un goût très sûr. En revanche, j'aurais été très fier que mon père les aime. Monsieur Carl m'a appris que Robert Walser partageait ma conception de la chose littéraire. Aux yeux de Walser aussi, peu importait la célébrité, le fait d'être lu et d'être honoré. Robert Walser avait fui le monde littéraire en pleine gloire pour intégrer l'hospice de Waldau à Berne. Aujourd'hui il vit à l'hospice cantonal d'Appenzell-Ausserrhoden à Herisau, où il coule les jours les plus heureux possibles eu égard à notre condition. Après quoi Ajax m'a tiré par la manche et nous avons joué ensemble. J'en avais suffisamment entendu sur ma condition humaine.

Monsieur Carl m'interroge souvent aussi sur mon père. Il écrit un livre sur lui. Je l'aide du mieux possible. Carl Seelig a l'air fasciné par sa personnalité. Il prétend vouloir rétablir des vérités. Je lui ai posé la question. Connaît-il seulement la vérité ? Espère-t-il la découvrir ? Une fois qu'on sait la vérité, on ne vit pas mieux, au contraire. Et en quoi la vérité sur Albert Einstein est-elle plus importante que celle de quiconque ? Je connais beaucoup de choses sur mon père. Je ne suis pas plus heureux pour autant. Pour la plupart des mortels, mon père est un sujet de réflexion. Tout le monde se trompe. Mon père n'a pas de vérité. Aucun être n'a de vérité propre. Par exemple, en ce qui me concerne, j'ai bien conscience que les gens me prennent pour un fou alors que je ne lui suis pas. Qui détient la vérité sur mon cas ? Les gens ou moi ? Or ce qui est vrai pour moi ne l'est-il pas pour mon père ? Mais Carl Seelig a l'air si honnête dans sa démarche que je vais m'évertuer à l'aider. Même si l'honnêteté ne fait en rien mieux connaître les gens. Voilà le fond de ma pensée : chercher la vérité cache quelque chose.

Je révèle à monsieur Carl tout ce que je sais sur mon père. Mais je doute d'être d'un grand secours dans son entreprise : je ne dispose que de vagues souvenirs déformés par le temps et le prisme de mon cerveau tout dérangé. Mon père est de l'histoire ancienne.

J'ai raconté le premier souvenir qui me traversait l'esprit, le jour où mon frère et moi étions allés voir mon père à Berlin. Dans l'appartement, il y avait de grands sabres qui m'impressionnaient. Il m'a demandé si je me souvenais de ma grand-mère, Pauline Einstein. Je ne me souviens pas d'avoir eu de grand-mère. Il m'a certifié que les dates concordaient et que j'avais dû rencontrer Pauline Einstein à l'âge de sept ou huit ans. Elle ne m'a pas marqué suffisamment, désolé. Est-ce que je me souvenais d'autre chose ? Non, la mémoire n'est pas mon point fort. Désirais-je continuer à parler de mon père ? Non, mon père n'est pas mon fort, non plus.

J'ai demandé à monsieur Carl pourquoi il n'écrivait pas plutôt sur sa propre existence. Il m'a répondu que ça n'intéressait personne. Il est dans l'erreur. Si j'avais pu réaliser mon rêve et être psychanalyste, j'aurais adoré me pencher sur sa vie. Son cas était aussi intéressant que celui d'Einstein. Sans vouloir le heurter, je lui ai demandé s'il n'était pas curieux de dépenser tant d'énergie avec des personnes comme moi ou M. Robert Walser.

Dans une de nos conversations, monsieur Carl s'est étonné que je ne mentionne jamais ma mère. Pas une seule fois, depuis que l'on s'était rencontrés. Je n'ai pas relevé. Tout cela ne regarde que moi et mon psychisme qui, on le sait, n'est pas au mieux. Monsieur Carl n'a pas insisté parce qu'il est vraiment quelqu'un de bien, un être comme je n'en ai rencontré nulle part.

Un jour, au retour d'une de mes promenades avec monsieur Carl, le surveillant Heimrat m'a dit :

« Il est curieux, ce Seelig, tout de même ?

— Vous voyez le mal partout, surveillant Heimrat.

— Ça ne t'étonne pas, toi, quelqu'un de richissime qui pourrait courir les palaces et préfère perdre ses journées avec toi pour boire un fendant à Teufen ? Tu n'es pas surpris ?

— Moi, surveillant Heimrat, voir des femmes sans tête n'est pas parvenu à me surprendre.

— Je suis sûr qu'il en a après ta fortune.

— Vous savez bien que je ne possède rien. Mon tuteur Heinrich Meili prétend que j'ai juste assez pour vivre jusqu'à la fin de mes jours, vu que je ne peux gérer mon argent et que je serais capable de le jeter par les fenêtres, comme je l'ai fait avec ma propre personne.

— Tout de même, à la place de ton père, je me méfierais.

— Vous êtes à la place de mon père, surveillant Heimrat ! Enfin, du moins, là où il devrait se trouver, c'est-à-dire auprès de son fils. Et puis, sans vouloir vous rassurer, mon père doit penser comme vous. Il doit se poser des questions sur monsieur Carl. Parce que vous et mon père, vous ignorez la bonté désintéressée. Vous ne pouvez même pas imaginer passer plusieurs heures en ma compagnie gracieusement, et même y trouver du plaisir. Avouez-le, surveillant Heimrat, ce n'est pas par plaisir que vous me parlez.

— C'est pour mon métier, Eduard. Mais parfois il m'offre des satisfactions personnelles.

— Moi, je vous offre des satisfactions ?

— Cela va te surprendre, Eduard, mais oui.

— Et quand ça ?

— Quand je te vois quitter ce lieu.

— Vous aimez me voir partir et vous voulez que cela me plaise ?

— Exactement, Eduard. Même si tu me considères comme une brute épaisse. Ma plus grande tristesse, c'est de te voir revenir ici.

— Ce que vous dites me touche beaucoup, surveillant Heimrat. Je crois qu'à part monsieur Carl sur mes poèmes, on ne m'a jamais dit quelque chose d'aussi aimable. »

4

La douleur semble se calmer. Il n'est pas certain que ce soit bon signe. Voilà deux jours qu'il est hospitalisé à l'hôpital de Princeton. Le mal est apparu brutalement. Le feu a pris dans son ventre, son corps s'est comme embrasé. Ses forces l'ont abandonné. Il s'est allongé. Il a voulu palper la masse pour voir si l'anévrisme battait encore ou s'il s'était rompu. La peau de son ventre était tendue comme le cuir d'un tambour. Un simple effleurement éveillait une douleur atroce. Il s'est mis à vomir. Il a rejeté sa bile sans discontinuer. Après quoi, il a eu l'impression de vomir ses tripes. Margot, sa belle-fille, a voulu appeler l'hôpital. Il a refusé. Son état a empiré. La douleur est devenue intolérable. Il était inondé de sueur. Ses jambes ne le portaient plus. Les regards posés sur lui étaient pleins d'effroi. Comme si la mort était inscrite sur son visage. Il a consenti à la venue d'un médecin. Le docteur Dean a fini par arriver. Le docteur ne parvenait pas à prendre sa tension. Il peinait à entendre le bruit de son pouls. Dean s'est retourné sans rien dire après l'avoir examiné. Il a compris à son silence que l'anévrisme était rompu. Ces deux médecins et amis, les docteurs Ehrmann et Bucky, sont arrivés de New York. Bucky avait un sourire forcé. Ehrmann affichait une certaine sérénité. Ils l'ont tour à tour examiné. Bucky a proposé qu'on le conduise immédiatement dans un hôpital de Brooklyn. L'endroit comptait le meilleur service de chirurgie de New York. Ehrmann a fait non de la tête. Bucky n'a pas insisté.

Il n'y aura pas d'intervention. L'anévrisme est rompu. On ne sait pas colmater la brèche. Le sang se répand dans ses viscères. Sa pompe cardiaque fuit. Ehrmann a prétendu que parfois la fissure se refermait d'elle-même, que le corps réagissait. Il doute que son corps ait une quelconque réaction. Son corps est comme lui, fatigué, hors d'état. À soixante-dix-sept ans, son corps en a trop fait.

Sa chambre d'hôpital est confortable. Elle offre une petite vue sur le parc au loin. Il sait qu'il ne marchera plus dans le parc. Il ne traversera plus les bois pour aller au lac à travers les rangées de peupliers. Adieu les promenades, fini les balades à bord du *Tinef*. Il ne contemplera plus le coucher du soleil. Il se vide de son sang. Il devine que sa fin est proche. Son bonheur se réduit à la satisfaction de boire dix cuillerées de soupe sans les rendre aussitôt. Il connaît des plaisirs minuscules. La semaine précédente, il signait encore une pétition de Bertrand Russell contre la prolifération nucléaire. Il ne travaillera plus à transformer le monde.

La dernière lettre qu'il ait reçu de Carl Seelig s'achevait ainsi :

Teddy va relativement bien et c'est pour moi un apaisement, à chaque fois, de voir de quel amour et de quelle compréhension l'entoure sa famille d'accueil. Je ne pourrais en imaginer de meilleure pour lui.

Son fils Hans-Albert est arrivé la veille, de Californie où il réside dorénavant. Il avait l'air sincèrement éploré. Ils n'ont pas pu beaucoup parler.

La nuit est tombée. Il devine la silhouette de l'infirmière chargée de rester à son chevet. Il lui fait signe de la main. Elle s'approche. Il murmure qu'il aimerait boire. La jeune femme ne semble pas comprendre. Il répète qu'il a soif. La jeune femme a l'air terrifié. Il lui conseille de ne pas s'inquiéter. Elle semble ne pas saisir. Il comprend qu'il n'est plus intelligible.

Bientôt il n'est plus de ce monde.

BURGHÖLZLI

1

Monsieur Carl semblait triste, ce matin, lorsqu'il est passé me voir dans ma famille d'accueil. Je lui ai demandé pourquoi.

« J'ai une mauvaise nouvelle à t'apprendre.

— C'est moi qui devrais être triste, pas vous.

— C'est une mauvaise nouvelle pour nous tous.

— Le Burghölzli va fermer ?

— Eduard, je dois t'apprendre la disparition de ton père.

— Cela fait vingt ans que mon père a disparu.

— C'est quelque chose de plus terrible.

— Vous voulez dire qu'il est mort ?

— C'est cela.

— Définitivement ?

— Oui, Eduard.

— Je n'arrive pas à me faire une idée.

— Il te faudra du temps.

— Et, vous, pourquoi êtes-vous triste ?

— J'ai raconté sa vie, cela crée des liens, c'est comme si j'étais devenu un ami.

— Moi, je n'étais que son fils et encore.

— Tu étais son fils, Eduard.

— Je manque d'éléments de comparaison. Je n'ai été le fils de personne d'autre.

— Tu auras tout le temps de comprendre.

— Est-ce que les gens vont pleurer la disparition de mon père ?

— Le monde entier va le regretter.

— Pour quelles raisons ?

— Ton père était un grand homme.

— Un grand savant ?

— Bien plus que ça. Un esprit éclairé, un homme révolté, un génie.

— Cela m'émeut de vous entendre parler ainsi d'un homme qui est mon père en quelque sorte. Est-ce que je dois être triste aussi ?

— Pour d'autres raisons.

— Lesquelles ?

— Eh bien quand un proche disparaît...

— Vous parlez de mon père ?

— Oui, Eduard.

— Mon père n'était pas un proche. J'ai appris que l'Amérique était très loin d'ici.

— Il y a d'autres façons d'être proche.

— Nous sommes en quelle année, monsieur Carl ?

— En 1955. Le 19 avril.

— Vous m'avez dit un jour que la dernière fois que j'ai vu mon père c'était en 1933, n'est-ce pas ?

— C'est vrai.

— Donc si je fais mes calculs, 1955 moins 1933 font vingt-deux. C'est exact ?

— Exact, Eduard.

— Je suis né en 1910. Donc 1933 moins 1910 égalent 23. C'est juste ?

— Juste, Eduard.

— Cela signifie que j'ai vécu vingt-trois ans avec un père proche et vingt-deux ans sans père proche. Alors vous qui êtes aussi fort en mathématiques qu'en philosophie, peut-on dire que j'ai perdu un proche ?

— Au fil du temps, tu ressentiras les choses.

— Pour l'instant, je ne ressens rien. Est-ce mal ?

— Tu es sous le choc.

— Je ne crois pas, monsieur Carl. Je sais ce qu'est un choc. Ce n'est pas du tout ce que je ressens.

— Je te l'ai dit, cela prendra du temps.

— Pouvez-vous me dire aussi ce que je devrais éprouver ?

— Une grande douleur.

— Je ressens en permanence une grande douleur. Je ne sais pas si je pourrais souffrir plus encore. Je devrais ?

— Rien n'est imposé.

— Je peux vous poser une question, monsieur Carl ?

— Évidemment.

— Est-ce que vous parlez de moi dans votre livre sur mon père ? »

À cet instant, j'ignore pourquoi, le visage de monsieur Carl s'est empourpré. J'ai redouté que ce ne soit une des hallucinations qu'on me reproche. Mais non, monsieur Carl semblait juste mal à l'aise. Je craignais que mes propos ne soient la cause de son embarras. S'il y a une personne que je n'aimerais pas tracasser c'est bien monsieur Carl, vu que je n'ai plus que lui sur terre puisque même mon père n'est plus à ce que j'ai compris. J'ai détourné la conversation et j'ai dit :

« En tout cas, cela me rend fier ce que vous dites sur mon père. Que c'était un grand homme.

— Oui, Eduard, tu peux être fier. »

2

Monsieur Carl m'affirme qu'il ignore la raison pour laquelle on m'a délogé de ma famille d'accueil et à nouveau interné au Burghölzli. Cela n'aurait rien à voir avec la mort de mon père. Je suis d'accord avec lui. La disparition de mon père ne change rien à ma vie. En réalité, pour moi, mon père est mort depuis longtemps. Je ne lui en veux pas pour autant. J'ai cessé tout rapport affectif depuis des années.

Gründ a fini par me révéler le pourquoi de mon incarcération récente. Sur le livre d'admission qu'il a pu consulter est inscrit :

Monsieur Einstein a été de nouveau admis au Burghölzli. Le patient ne cesse de circuler autour de la maison et avec ses airs de vagabond, il peut effrayer les visiteurs.

D'abord, je ne vois pas en quoi je peux effrayer qui que ce soit avec mon air de vagabond. Ensuite, je ne circule pas.

Monsieur Carl soutient qu'il a essayé de me maintenir dans ma famille d'accueil, en pure perte. Finalement, je suis aussi bien ici. Au moins, je suis chez moi. Une famille d'accueil ce n'est pas pareil. On se sent redevable.

Bien sûr, le confort de Burghölzli est moins satisfaisant. D'autant que, depuis la mort de mon père, on m'a rétrogradé. Je vis dorénavant dans une chambre de catégorie C. Elle se trouve en sous-sol et ne possède pas de fenêtre. Je ne me plains pas. L'essentiel n'est-il pas d'avoir un toit ? Je préfère me sentir à l'étroit qu'à l'étranger. À vrai dire, avoir une fenêtre est aussi un peu dangereux dans mon état. Le vide m'attire. J'ai failli mal y finir à plusieurs reprises.

Monsieur Carl m'a aussi appris une autre nouvelle récemment. Son ami, M. Robert Walser, est mort. Disparaître n'est jamais agréable, pourtant les conditions du décès de M. Robert Walser étaient particulièrement pénibles. Cela ajoutait encore au chagrin de monsieur Carl. L'idéal, semble-t-il, serait de mourir dans son lit. Mais M. Robert Walser était sorti seul, ce jour-là, de son hospice pour faire une promenade dans la forêt. Il a marché dans la neige sans discontinuer durant des heures au milieu des arbres jusqu'à ce que mort s'ensuive. On l'a retrouvé loin de l'hospice, recouvert d'une mince couche blanche. C'est une leçon pour nous tous qui sortons sans autorisation.

Monsieur Carl se sentait coupable parce que d'ordinaire son protégé se promenait à ses côtés. Lui ne l'aurait pas laissé mourir ainsi. Mais il faut laisser le sort décider de lui-même. Certains hommes se battent, résistent. Pour nous autres, lutter est impossible. Nous sommes le jouet du destin et très sensibles au froid.

3

La fille de mon frère est venue me voir.

Lorsque j'ai été prévenu de sa visite, j'ai demandé à Gründ de mettre mon costume gris pour l'occasion. Il a souri et m'a dit que la dernière fois que je l'avais essayé, la couture du pantalon s'était déchirée. J'ai proposé de mettre uniquement la veste ainsi que ma chemise blanche et une cravate noire, comme une marque de respect à l'égard d'un membre de la famille qui a fait le voyage de si loin pour simplement me voir. Personne n'est forcé après tout. Malgré le côté dépareillé de mon pantalon de survêtement, je pense avoir fait forte impression.

La fille de mon frère se nomme Evelyn Einstein. Je lui ai fait remarquer qu'elle avait les mêmes initiales que moi. Elle a tenu à préciser qu'elle n'était pas du même sang que moi, car c'était une enfant adoptée. Je l'ai réconfortée en lui rappelant que, d'expérience, les liens du sang n'étaient pas mieux.

D'une certaine manière, d'ailleurs, moi aussi j'ai été adopté, même si c'est par une institution. Mais nos vies ont pris deux sens opposés. Moi, je suis né Einstein pour finir dans un hospice, elle a connu l'inverse.

J'ignorais que mon frère avait adopté en dépit du fait qu'il avait déjà des enfants. Je trouve cela très généreux. Si j'en avais été informé auparavant et eusse appris que mon frère recherchait quelqu'un, j'aurais postulé pour le poste. J'aurais adoré qu'Hans-Albert m'adopte. Je sais bien que l'idée est un peu saugrenue. Sans doute aussi, la loi américaine qui est très à cheval interdit-elle d'adopter un membre de sa famille comme son frère.

Evelyn Einstein avait l'air très perturbée par son nom et son héritage. J'ai expliqué qu'il ne fallait pas. S'appeler Einstein nécessite un apprentissage, qu'on naisse avec ou pas. Cela peut prendre plusieurs décennies, voire une vie entière. J'ignore si, dans mon cas, je mourrai guéri.

Evelyn m'a confié qu'elle appelait mon père Grampa au temps où elle lui rendait visite à Princeton. Cela m'a ému. Grampa. Je suis sûr que cela a ému mon père aussi dans la bouche d'une petite fille. J'ai tenté de me souvenir comment j'appelais mon père. Sans doute papa comme tout le monde. Mais ce surnom ne lui va pas. Alors que maman allait très bien.

Evelyn a été adoptée peu après sa naissance à Chicago en 1941. Mon frère avait vraiment un grand cœur pour l'exilé de fraîche date qu'il était alors. Cela ne m'étonne pas, je garde un bon souvenir de lui. J'espère que la réciproque est vraie.

J'ai recommandé à Evelyn de ne pas s'alarmer de ma condition de patient de catégorie C.

Je n'aimerais pas qu'elle fasse le voyage de retour le cœur triste. J'espère qu'elle emportera la meilleure image de moi.

J'ai demandé à Evelyn d'embrasser mon frère de ma part et de lui dire que je ne lui en voulais pas de son absence. Il est sans doute très occupé comme ingénieur des travaux publics. Il paraît que ses recherches sont reconnues en Amérique. Mais il doit se méfier de la célébrité qui va à l'encontre de la vie de famille. Hans-Albert avait entrepris de venir voir ma mère juste avant son décès. Il avait finalement dû renoncer appelé par son travail. Sur le moment, cela avait beaucoup chagriné maman qui était très susceptible. Moi, ce n'est pas pareil. J'accorde les circonstances atténuantes.

En prenant congé, Evelyn m'a longuement étreint entre ses bras et m'a embrassé. Personne ne s'était comporté ainsi depuis l'année où maman avait quitté ce monde. Si c'était à refaire, je recommencerais. La douceur est une sensation très agréable. J'imagine qu'on ne s'en lasse pas.

J'ignore si Evelyn reviendra. Elle a lancé un au revoir, pas un adieu, en partant, et les mots ont un sens, excepté dans ma bouche. J'espère qu'elle tiendra promesse. J'ai expliqué à Gründ que j'essaierais de maigrir pour pouvoir entrer dans le pantalon du costume à sa prochaine visite. Ça l'a fait beaucoup rire. Pourtant, c'est important de faire bonne figure devant la famille.

4

Je suis avec Herbert Werner l'un des plus anciens pensionnaires des lieux.

Je fêterai bientôt ma trente-troisième année au Burghölzli. Je n'ai pas vu le temps passer. J'espère secrètement que l'établissement donnera une petite cérémonie à l'occasion. Trente-trois ans, cela se fête.

J'ai reçu de la part de la direction un cadeau inespéré. Une fonction officielle au sein de la clinique. J'y vois là une forme de reconnaissance, comme une médaille pour services rendus. J'ai été nommé jardinier du Burghölzli.

J'aurais bien aimé que monsieur Carl apprenne la nouvelle. Il aurait été fier d'Eduard. Hélas, Monsieur Carl nous a quittés. Gründ, qui a pris la place du surveillant Heimrat, m'a annoncé la nouvelle abruptement. Gründ a lancé : Ton Carl Seelig ne viendra pas te voir aujourd'hui, ni les autres jours. Quand il a tenté de rattraper le tramway en centre-ville, son écharpe s'est enroulée dans les roues et le tramway l'a traîné sur plusieurs mètres. Enfin, je ne rentre pas dans les détails. Il est mort. De toute façon, j'ai toujours détesté ce type. On se demande pourquoi il t'aimait tant, toi et tes semblables. S'occuper de vous est un métier. Carl Seelig en fait un loisir. Il casse les valeurs de notre travail.

J'ai compris que monsieur Carl était décédé par strangulation. C'est une fin terrible pour un homme de cette qualité.

Je n'ai plus personne à qui annoncer la nouvelle de ma promotion. Je ne veux pas user de mes nouvelles prérogatives pour en remontrer aux autres pensionnaires. Les gens sont jaloux. Certains ont prétendu que je devais ce titre à mon nom. Mon nom n'a jamais rien signifié ici.

Si on m'a assigné cette tâche, c'est parce que j'aime la terre et que je suis un honnête travailleur. On peut confier à Eduard Einstein les plus hautes fonctions. Il s'y attellera du matin jusqu'au soir sans faillir, ni se laisser atteindre par la fatigue ou le découragement. Et jamais les pensées sacrilèges qui assiègent son esprit ne le feront renoncer.

Bêcher est un métier. On se montre très exigeant à mon égard. Dans ce lieu censé guérir les âmes folles, les roses valent mieux que les jardiniers.

Je fais cinq pas en comptant jusqu'à dix. Je tourne à droite, je refais cinq pas en comptant jusqu'à dix, je tourne encore à droite puis encore cinq pas et encore à droite. Me voilà retourné au point de départ. Je trace un carré de pelouse dans mon esprit. Ce carré est précieux. Il délimite l'endroit que je vais ratisser. Nul n'est autorisé à pénétrer dans ce carré. La direction m'a mandaté pour ce travail. Elle seule pourrait intervenir. Ce sont des gens à cheval sur le règlement.

Deux heures seront suffisantes pour ratisser mon terrain. Je suis un travailleur, sérieux et responsable. J'ai lu que les Américains et les Soviétiques disposaient d'un arsenal capable de détruire dix mille fois la terre. J'espère que mon terrain demeurera intact. Ici, au Burghölzli, on se sent à l'abri.

5

Cet après-midi, un journaliste doit venir m'interroger. Il travaille pour une revue qui s'appelle *Construire*. Je ne vois pas en quoi je peux lui être utile. Je n'ai rien édifié de solide dans l'existence. Voyez plutôt avec mon frère. Je ne vous en voudrai pas. J'ai perdu mon amour-propre il y a longtemps. Il me semble que c'était pendant une séance d'électrochocs.

Pour la venue du journaliste, j'ai demandé à Gründ la veste de mon costume. Il a éclaté de rire.

« Nous sommes en 1964, Eduard, tu crois que nous avons gardé ta veste ?

— Ce sont les vêtements qu'il me reste du temps où j'étais jeune. Mes plus beaux souvenirs.

— Tu sais bien qu'il ne faut pas t'encombrer de souvenirs, Eduard.

— Pour quelles raisons ?

— Cela te remue.

— Mon costume ne m'a jamais remué.

— Tu as une chambre de catégorie C, pas de place pour les vieux tissus.

— Mon costume était cent pour cent pur lin, si ma mémoire est bonne.

— Ta mémoire n'est pas bonne, Eduard, et tu le sais.

— Ma mère s'était ruinée avec ce costume.

— Ta mère se serait ruinée sans.

— Cent pour cent. »

J'accueille donc mon visiteur, vêtu de mon survêtement bleu et chaussé de mes sabots. D'emblée, j'annonce être dans les meilleures dispositions pour parler de mon géniteur et pas forcément en mal comme il pouvait s'y attendre. J'ai remarqué que les gens aimaient bien me voir salir l'image de mon père. Qui voudrait écouter Eduard, sinon ?

Nous traversons le Burghölzli. Nous faisons le tour du propriétaire. Nous visitons ma chambre que Gründ a pris soin de ranger au préalable parce que je ne suffis pas. Le journaliste écrit sur un petit carnet pendant que je parle. Je lui demande ce qu'il note et pourquoi. Il répond qu'il ne veut rien oublier de mes propos. On ne l'a sans doute pas informé que je ne sais pas ce que je dis.

Je le laisse dans l'ignorance. Je le préviens cependant que je ne serai pas le fossoyeur de la mémoire de mon père. Je suis seulement le jardinier du Burghölzli. Je ne fais que bêcher la terre. J'enlève les racines de mon carré. La direction ne confierait à personne d'autre cette tâche capitale. Sans moi, les herbes folles monteraient jusqu'au ciel. Le lierre grimperait au long de la façade, tisserait un rideau de feuilles devant les fenêtres, obscurcirait les chambres, plongerait dans la pénombre le grand réfectoire, assombrirait le jour. Je suis celui par qui le malheur peut arriver.

L'homme me rassure. Il veut seulement discuter. Je lui demande pourquoi. Il explique que les gens s'intéressent à ce que je suis devenu. Je rétorque que les gens ne savent même pas que j'existe.

« Eh bien comme ça, ils le sauront.

— Trop tard, je lance, ils apprendront trop tard. Regardez ce que je suis devenu.

— Eh bien, vous êtes le jardinier du Burghölzli ! Et c'est déjà beaucoup. »

Il a l'air sincère dans sa voix. Il sort de son cartable une photographie et me la tend. Il précise qu'il l'a trouvée en faisant des recherches. Je contemple longuement cette vieille photo où mon père et moi sommes assis dans la salle de réception du Burghölzli. Le journaliste précise que la photo date de mai 1933. Je crois, ajoute-t-il, que c'est la dernière fois que vous avez rencontré votre père. Je remarque que je portais un très beau costume. Il acquiesce. On ne peut pas se rendre compte aujourd'hui. À vingt ans, on me disait très élégant. Aucun doute, il répond. Et je n'étais pas stupide comme aujourd'hui, j'ai lu tout Kant et tout Freud et tout Schopenhauer. Il sait. Mais ne m'interrogez pas, j'ai tout oublié. Il n'est pas là pour ça.

Sur la photographie, je me vois me concentrer sur un grand ouvrage relié de cuir, sans doute une partition que m'a apportée mon père, un livret de Brahms ou de Liszt. Je remarque aussi l'archet de mon père, tenu entre ses jambes. J'observe que, devant l'objectif, je ne fixe pas mon père au fond des yeux le jour de mes adieux. Le journaliste ne m'en fait pas le reproche. Vraiment, le chic type.

Je reviens sur l'archet de mon père. Je réalise alors que nous avons joué ensemble, ici, au Burghölzli, moi sur le piano de la clinique et lui de son violon. L'homme confirme, oui, Eduard, il semble bien que votre père ait joué à vos côtés, ce jour-là, à la clinique du Burghölzli.

Élément intrigant, mon père est habillé très élégamment alors qu'il venait seulement me rendre visite. Il porte une cravate. J'arbore quant à moi un joli nœud papillon. Nos vêtements sont clairs, c'est le printemps en mai. Son costume est vraiment distingué. Son nœud de cravate est bien noué. Son gilet est assorti à sa veste. Lui d'ordinaire habillé comme l'as de pique est vêtu élégamment simplement pour dire adieu à son fils. Plus troublant encore, je constate une profonde tristesse dans son regard. Je n'aurais pas cru mon père si triste. Ses yeux n'ont aucun éclat contrairement à d'habitude. Une grande amertume se lit aussi sur son visage. Il se tient avachi sur son siège, comme accablé par quelque chose, allez savoir quoi. Je demande au journaliste si lui aussi a l'impression que mon père est triste alors qu'il est seulement ici pour me dire adieu. Ou bien est-ce une hallucination comme il m'arrive parfois ?

L'homme observe longuement le cliché. Oui, vous avez raison, votre père a l'air très triste, j'ai vu de nombreuses photographies de lui, eh bien, je ne lui ai pas connu cet air-là.

« Ce n'est pas de l'indifférence ? je demande.

— Non.

— De la colère ?

— Cher Eduard, il me semble que c'est de la peine. Et puisque vous êtes à ses côtés et qu'il est venu vous dire adieu avant son départ en Amérique, vous devez être la cause du chagrin de votre père. »

Alors, lentement, s'est mis à monter en moi un sentiment étrange que je ne reconnaissais pas. Un léger frémissement me parcourt de la tête aux pieds. Mon cœur palpite, mes tempes battent. Quelque chose s'éclaircit dans mon esprit. Au lieu des visions noires des tourments quotidiens, voilà que m'envahit une douce clarté. Mon corps semble moins lourd. Plus rien ne me tracasse. Un parfum léger flotte dans l'air. Tout est illuminé. L'homme me regarde, un peu surpris. Après un temps, il lance :

« Eduard, vous avez l'air heureux. »

Annexes

Extrait de l'article nécrologique paru le 19 novembre 1965 dans l'hebdomadaire zurichois *Wir Brückenbauer* (*Construire*) et reprenant le portrait d'Eduard Einstein réalisé près de deux ans auparavant par un journaliste :

« *Eduard Einstein portait un survêtement bleu et des sabots, et il ressemblait tellement à son père que j'en fus effrayé. Ce qu'il avait de plus beau, c'étaient ses yeux, très grands, profonds, de lumineux yeux d'enfant, et il nous regardait comme son père Albert Einstein nous regarde sur les photos... Il m'a expliqué qu'il aurait volontiers pratiqué le piano mais que son jeu dérangeait les autres pensionnaires, ce qu'il comprenait. Il ne travaillait pas volontiers aux champs, mais d'un autre côté il comprenait que cela lui faisait du bien. Il se serait bien contenté de dormir uniquement, mais il savait que cela n'allait pas... Pour conclure il a avoué : "Avoir pour père le génie du siècle ne m'a jamais servi à rien."* »

La photo de couverture est celle évoquée lors de la rencontre entre Eduard Einstein et le journaliste de *Wir Brückenbauer*. Le cliché a été pris à la clinique psychiatrique du Burghölzli. C'est la dernière photo d'Albert Einstein et de son fils ensemble.

Bibliographie

Les lettres publiées dans le roman sont extraites de :

Correspondance entre Mileva et Albert Einstein :
Albert Einstein et Mileva Maric, *Lettres d'amour et de sciences*, traduction de Jürgen Renn et Robert Schulmann, Seuil, 1999.
Desanka Trbuhovic-Gjuric, *Mileva Einstein, Une vie*, Éditions des Femmes, 1991.
Milan Popovic, *In Albert's Shadow : The Life and Letters of Mileva Maric, Einstein's First Wife*, Johns Hopkins University Press, 2003.

Lettres entre Michele Besso et Albert Einstein :
Albert Einstein et Michele Besso, *Correspondance avec Michele Besso, 1903-1955*, traduction de l'allemand de Pierre Speziali, Hermann, 1979.

Correspondance entre Carl Seelig et Albert Einstein, ainsi que le poème d'Eduard Einstein et la réponse de Maier à Rüdin :
Alexis Schwarzenbach, *Le Génie dédaigné. Albert Einstein et la Suisse*, traduction de l'allemand d'Étienne Barilier, éditions Métropolis, 2005.
Roger Highfield and Paul Carter, *The Privates Lives of Albert Einstein*, Faber and Faber, 1993.

Les citations d'Einstein sont tirées de :

Albert Einstein, *Comment je vois le monde*, Flammarion, « Champs sciences », 2009.

Albert Einstein, *Correspondance*, InterÉditions (Dunod), sous la direction de Helen Dukas, traduction de Caroline André, 1980.

Albert Einstein, *The Collected Papers of Albert Einstein*, vol. 1-9, Princeton University Press, 1987.

Parmi les innombrables biographies consacrées à Albert Einstein, quatre ouvrages éclairent plus particulièrement la vie d'Eduard Einstein :

Michele Zackheim, *Einstein's Daughter : The Search for Lieserl*, Riverhead Books, 1999.

Roger Highfield and Paul Carter, *The Privates Lives of Albert Einstein*, Faber and Faber, 1993.

Desanka Trbuhovic-Gjuric, *Mileva Einstein, Une vie*, Éditions des Femmes, 1991.

Alexis Schwarzenbach, *Le Génie dédaigné. Albert Einstein et la Suisse*, traduction de l'allemand d'Étienne Barilier, éditions Métropolis, 2005.

D'autres livres et articles de presse ont contribué aux recherches :

Antonina Vallentin, *The Drama of Albert Einstein*, Doubleday, 1954.

Albert Einstein, *Physique, Philosophie et Politique*, sous la direction de Françoise Balibar, Seuil « Points Sciences », 2002.

Dimitri Marianoff and Palma Wayne, *Einstein : an Intimate Study of a Great Man*, Doubleday, Doran and Co, 1944.

Thomas Levenson, *Einstein in Berlin*, Bantam Books, 2004.

Fred Jerome, *Einstein, un traître pour le FBI*, Frison-Roche, 2005.

Fred Jerome et Rodger Taylor, *Einstein, l'antiraciste*, Duboiris, 2012.

Walter Isaacson and Edward Herrmann, *Einstein : His Life and Universe*, Simon & Schuster, Abridged Edition, 2011.

Denis Brian, *Einstein, le Génie, l'Homme*, Robert Laffont, 1997.

Carl Seelig, *A Documentary Biography*, Staples Press, 1956.

Carl Seelig, *Promenade avec Robert Walser*, traduction de l'allemand de Bernard Kreiss, Rivages « Poche », 1992.

Abraham Pais, *Subtle is the Lord : The Science and the Life of Albert Einstein*, Oxford University Press, 2005.

Lionel Richard, *La Vie quotidienne sous la république de Weimar, 1919-1933*, Hachette Littératures, « La vie quotidienne », 2000.

New York Times, 18 avril 2011.
Wir Brückenbauer, 19 novembre 1965.

Table

10946

Composition
NORD COMPO

Achevé d'imprimer en Espagne
par CPI
le 8 décembre 2014.

Dépôt légal décembre 2014.
EAN 9782290098424
L21EPLN001657N001

ÉDITIONS J'AI LU
87, quai Panhard-et-Levassor, 75013 Paris

Diffusion France et étranger : Flammarion